МАСТЕР
КЛАСС
ИСКУСИТЕЛЬ

Фото Владимира Мусаэляна

Серия «Мастер-класс»

Александр Потемкин
БЕС

Повесть

Издательский дом «ПоРог»
Москва 2003

УДК 82-3
ББК 84-4

П 64

Александр Потемкин
П 64 БЕС, повесть - М.: ИД «ПоРог», 2003 — 256с.
ISBN 5-902377-03-X
Что за страсть покорять души человеческие? Что за
искушение повелевать ближними? Этим вопросам
посвящена повесть «Бес».

Другие книги Александра Потемкина — «Изгой»
и «Игрок» — спрашивайте в книжных магазинах
и ИД «ПоРог», тел. (095) 211 03 39

ISBN 5-902377-03-X

БЕС

Он полностью доверял своему предчувствию, и поэтому все его нутро требовало немедленно закрепить эту сделку письменно, как говорится, ударить по рукам, поставить подписи и заработать миллион триста двадцать тысяч долларов. Не столько сами деньги волновали Ивана Черногорова, сколько желание, неуемное требование, исходящее из самых глубин его души, — всякий и каждый раз доказывать себе самому, всем окружающим, особенно сегодня — Маше Молчановой, что он счастливчик. Самый умный и ловкий, самый смелый, самый обаятельный человек. В этой черте его характера скрытно, пожалуй, как-то даже очень деликатно, проглядывали признаки нарциссизма: ему постоянно требовались бытовые подтверждения собственного успеха. Он действительно обладал очень сильным внутренним, гипнотическим полем. Порой оно было таким невероятно мощным, что господин Черногоров частенько побаивался сам себя, своих желаний и душевных порывов. Тем более что после известного события в собственной его жизни, когда он сам себе признался кое в чем чрезвычайно личном, у него получалось все именно так, как он себе рисовал, как раскладывал тактику своих действий, как прогнозировал успех в бизнесе и личной жизни. Деньги, любовь, успех не имели никакого практического значения. Куда больше во всем этом было фатального, потустороннего, совершенно особого. Захотел, например, Черногоров сблизиться с девушкой N. Тут же вся сила его души, характера, фантазии, чисто человеческих возможностей и финансовых ресурсов включалась в действие. И пока он не достигал цели, ни о чем другом Иван Григорьевич уже не думал и не мечтал. Он всегда становился заложником своих планов и грез. И, как правило, его всегда ожидал именно тот успех, который наметил, придумал он в своей какой-то бесовской голове. Замечательная девушка N, которая еще вчера совершенно не предполагала, что на свете живет, существует Черногоров, в один день — или в одну ночь — влюблялась в него до безумия. И пусть никто не подумает, что девушка N была сама по себе какая-то кокетка, что и любой другой с помощью обычных современных ухищрений смог бы добиться такого же результата. Нет, нет! Как правило, это были особенные, чрезвычайно привлекательные, душевные, интеллектуальные, непорочные натуры. Так быстро, словно дьявол, он покорял их абсолютно, тотально, но без какой-либо лукавой пользы, не думая о сексуальных играх, мошеннических планах и т.д. и т.п. У него был только один интерес — душа! Сладчайшая песня ее покорения, ее обуздания. Потом все становилось уже неинтересным, прозаичным, и господин Черногоров с маниакальной настойчивостью начинал искать новый объект для выделения своего адреналина, для игр своего темперамента.

То же самое было в бизнесе. Стоило господину Черногорову увлечься каким-нибудь проектом, например, взятием московской гостиницы «Космос» в трастовое управление, или получением лицензии на разработку алмазов в Архангельске, или выпуском беспроигрышного золотого сертификата — совершенно новой ценной бумаги, направленной на борьбу с засильем доллара в России, — или реструктуризацией «Связьинвеста», — как у него сразу все получалось, и Иван Григорьевич зарабатывал на этом огромные деньги. Брошенные мимоходом советы приятелям и знакомым, вроде: «Инвестируйте ресурсы в антиквариат, в ГКО, в "ДОН-Строй"», — или противоположное: «Остерегайтесь вторника», «В августе будут большие проблемы. У вас еще есть время сбежать с фондового рынка с прибылью», — притягивали к нему столичных тусовщиков.

Многим верилось, что господин Черногоров обладает каким-то особенным чутьем, что само Провидение играет на его стороне, и вокруг него шел слух: тот, кто будет рядом, может неплохо заработать. В природе такие вещи известны: например, рядом с китом всегда плывут тунцы, набирающие вес от планктона, выбрасываемого царем морей. Так и вокруг Ивана Григорьевича всегда было многолюдно: тунцы столичного бомонда сопровождали его повсюду, — правда, зная его радикальную нетерпимость к слащавости и угодничеству, не навязываясь в друзья.

Сейчас господин Черногоров в обществе Маши Молчановой, девушки лет двадцати, вел переговоры в гостинице «Националь» с группой молодых бизнесменов. Речь шла о размещении заказа на резанный для закрутки украинский табак в российских силовых ведомствах — армии, внутренних и пограничных войсках. Комиссионные от этой сделки сулили кучу денег. Иван Григорьевич пригласил Молчанову принять в этих переговорах участие и представил ее новым русским как своего референта. Это был его обычный, отработанный трюк, чтобы в короткое время раскрыть себя, свой талант переговорщика, свое ораторское обаяние. В таких случаях переговоры становились для него лишь площадкой для самовыражения, сценой для полного раскрытия своего образа, своей завораживающей энергии, своего особого доверия к новому объекту обожания. Господин Черногоров автоматически, буквально на уровне рефлексов, вел беседу, делая вид, что она его интересует. На самом деле все было как раз наоборот: переговоры являлись прикрытием, игровым полигоном для его очень агрессивной психической атаки на Машу Молчанову. Все было подчинено неуемной страсти овладеть душой Молчановой. Это, в конечном счете, и было его высшим удовольствием, его высочайшим духовным оргазмом. О другом он не помышлял, на другие чувственные удовольствия было наложено мистическое табу.

Лишь изредка он останавливал взгляд на Маше, словно желая получить от нее благословение, одобрение своему таланту переговорщика. Его психологическая система была организована наподобие концепции военного сдерживания СССР: господин Черногоров всегда был готов одновременно вести два с половиной, три поединка, как военная доктрина СССР предполагала одновременное ведение двух с половиной, трех войн в разных частях света. Вместе с тем каждый его мимолетный взгляд передавал Молчановой невероятный объем информации, не уместившийся бы в многостраничном письме влюбленного. Это был воистину дьявольский взгляд, аккумулирующий всю энергию РАО «ЕЭС России». Именно во время таких двух-трех едва уловимых взглядов и происходило это великое действо:

душа женщины трещала по швам, он абсолютно овладевал ею на молекулярном уровне.

Дело было завершено. Переговорщики, их юристы, сам Черногоров поставили подписи под договором, который давал Ивану Григорьевичу миллион триста двадцать тысяч долларов США. Маша Молчанова была глубоко смущена событиями, в которые совершенно неожиданно для себя попала. На ее щеках выступил застенчивый румянец, глаза помутнели от хаоса в голове, в сознании, в памяти души и тела. Она не знала, что такое состояние шока, но нынешнее ее состояние было схоже с тяжелым потрясением, с глубокой душевной травмой. Она была в каком-то тотальном бесовском плену. Ум, сердце, тело не подчинялись ей больше. Девушка была околдована необыкновенной ситуацией, фантастическими суммами, непонятной коммерческой терминологией, роскошью гостиной, лоском сидящих вокруг людей, элегантностью мебели, — но более всего она была потрясена личностью господина Черногорова, его мистическим образом. Еще пару часов назад, когда они встретились в манежной яме перед фонтаном, она совершенно не знала его. Тогда она никак не могла понять, почему этот человек лет сорока из тысячи других молодых девушек, вольно слоняющихся по торговому центру Москвы, выбрал именно ее. Молчанова помнила лишь начало их знакомства. Он подошел к ней, взял за руку и спросил: «Вы приехали в Москву вчера?» Она смутилась, но сказала: «Да! Но почему вы так решили?» — «Я знаю Москву лучше всех, — ответил он. — Пойдемте со мной, я положу ее к вашим ногам!» Он заворожил ее сразу — голосом, блеском в глазах, улыбкой, элегантностью, манерами. Его окружало какое-то магнетическое, притягивающее поле. Оно парализовывало ее волю, сознание, движения. После коротких слов, сказанных им у фонтана, она уже себе не принадлежала. Ее рука так и осталась в его руке. «Я Иван

Черногоров... А вы?» — «Маша Молчанова. Из Пскова я». — «Приехали посмотреть столицу и познакомиться с Черногоровым?» — он, улыбнувшись, склонился над ее лицом. Ей показалось, что его губы даже тронули ее алые щеки. Мурашки сползли по телу Молчановой к коленкам. Она смутилась, сконфуженно отвела глаза. «Я иду на бизнес-ланч в гостиницу "Националь". Нас с вами ждет группа "Альфа". Они с нашей помощью хотят продать большую партию продовольствия и резанный для закрутки табак силовым структурам. Пойдемте вместе. Вы поможете мне провести очень сложный диалог с коммерсантами». Иван Григорьевич подхватил ее за талию... На этом месте четкие воспоминания Молчановой стирались, стушевывались. Она помнила только невероятную, дьявольскую гипнотическую силу своего нового знакомого и какое-то сладчайшее головокружение.

Господин Черногоров наблюдал за процессом постепенного, но уверенного, магического порабощения юной человеческой души. Это действо вызывало в нем ни с чем не сравнимое наслаждение. Именно в эти минуты он становился ее повелителем, ее князем, барином.

Переговоры закончились. Все встали. Пожали друг другу руки. Разошлись. Черногоров получил тридцать процентов от суммы вознаграждения: 440 000 долларов наличными. Оставшаяся сумма должна была через пару дней поступить на его счет в "Альфа-банк". Он взял Молчанову под руку, и они подошли к портье. Она шла за ним, совершенно не понимая, что творится вокруг. Ей не хотелось ни о чем думать, мозги просто не шевелились, словно были заблокированы. «Нам на пару дней нужен "люкс"», — сказал он миловидной даме у стойки. «Пожалуйста, минутку... Семьсот долларов в сутки плюс завтрак». — «О'кей!» — «На чью фамилию?» — портье по-западному пусто улыбнулась. «Черногоров!» — «Пожалуйста, шестой этаж, номер 67. Как будете платить?» Иван Григорьевич достал бумажник, раскрыл его перед портье и спросил: «Что вам больше по душе — "Амекс", "Виза" или "Мастер-кард"?»

Они взяли ключи и поднялись в номер.

Апартаменты состояли из трех комнат, большой ванной и сауны. Гостиная в стиле второй империи выходила на Манежную площадь. Таких сверкающих чистотой окон, такой опрятности и такой продуманности всех частей и деталей интерьера Маша еще никогда не видела. Белые, пушистые, словно мордочки болонок, шапки хризантем наполняли комнату необыкновенным волшебным ароматом. У молодой женщины кружилась голова, алые губы стали сухими. Учащенно пульсировало сердце, руки повлажнели, дыхание было прерывистым. В свои двадцать лет она впервые окунулась в волшебный, загадочный, какой-то ласкающий мир, известный ей лишь по фильмам. У нее возникло такое

ощущение, будто глаза, ее голубые огромные глаза, потерялись во времени, что его
очень не хватает, чтобы осмотреться, дотронуться взглядом до всех прелестей помещения, в котором она так необыкновенно
вдруг оказалась. На какое-то мгновение
девушка как бы даже запамятовала, что
этот чудесный мир принадлежит Черногорову, что мужчина стоит здесь, совсем рядом с ней. Его голос привел Молчанову в
сознание. «Кроме ваших изумительных
глаз, я ничего о вас не знаю. Откройтесь,
покажите себя всю, чтобы я совсем сошел
с ума», — швырнув свое легкое весеннее
пальто на французское канапе и усажива-
ясь, сказал он. Молчанова растерялась.
Она, собственно, не поняла, что из этого
следует и чего ждет от нее господин Черногоров. Иван Григорьевич хотел было до-
бавить: «Пожалуйста, разденьтесь», — но
спохватился, что она его не так поймет, и
потому сказал: «Снимите верхнюю одежду, садитесь напротив и расскажите о себе».

Маша неуверенно сбросила с себя поношенный светло-бирюзовый плащ и коричневое, не в тон, какое-то детское кашне. Она держала свою верхнюю одежду в руках, совершенно не понимая, что с ней делать. Господин Черногоров поспешил на помощь и взял у нее плащ, подобрал и свое пальто от Зеньи и аккуратно развесил все в гардеробе. Затем он вернулся в гостиную и остановился напротив Молчановой. Угрызения совести стали мучить его, горло отяжелело комком обиды, и он, глядя в ее глубокие голубые глаза, с какой-то горечью подумал: «Только в России такие замечательные красавицы могут быть в таком омерзительном платье!» Он быстро нарисовал в уме возможный туалет Молчановой, и перед ним вдруг предстала настоящая Мисс Мира. Все черты ее лица и линии тела — а господин Черногоров был большим знатоком этой гармонии — выдавали в ней классический, редчайший тип женской красоты. Он сразу, как-то даже автоматически, понял — впрочем, как было это и всегда прежде, — что именно нужно делать. Он подошел к ней совсем близко и почти губы в губы, всматриваясь в ее цвета голубого бриллианта глаза, заговорщицки сказал: «Я вернусь через час-другой. Гостиничный номер — ваш временный дом. Чувствуйте себя свободно. Можете принять душ, воспользоваться мини-баром, заказать по телефону любые блюда. Я хочу видеть вас счастливой. Начнем с нового гардероба». Сделав пару шагов назад, он осмотрел ее еще раз, соображая, какого размера платья необходимо покупать, потом вернулся, коснулся щекой ее щеки и шепотом спросил: «Какой у вас размер обуви?» — «Тридцать девять». — «А платья?» — «Не знаю», — еле слышно ответила молодая женщина. Он на мгновение прижал ее к себе, и знакомый из молодости душок поездов дальнего следования обволок его память. Он улыбнулся, по мобильной связи вызвал в фойе, к регистрационной стойке, сателлита и выскочил из номера.

Господин Черногоров понесся в Петровский Пассаж. Его знали и любили здесь все. Многие продавщицы частенько получали от него чаевые, а нередко — и более существенные подарки. В Пассаже, среди множества жеманных и миловидных молодых женщин, он никогда не вел себя как сатир, но в то же время нередко закупал изрядное количество женского платья, а потому был для многих неразрешенной загадкой. Каждая из продавщиц и менеджеров старалась лично поприветствовать его, создать ситуацию для личного контакта, по-дружески обняться. Его какая-то колдовская сила гипнотизировала всех, кто общался с этим загадочным господином.

Он влетел в Пассаж, как обычно, словно порыв ветра. Бросился в салоны «Нина Риччи», «Бетрана Пино», «Версаче», «Картье», «Джоржио Армани», «Берлуцци», «Ив Сен-Лоран», «Гермес». Со всеми расцеловывался, жал руки, посылал воздушные поцелуи — и везде заказывал подобрать на их

вкус все самое замечательное тридцать
восьмого размера. Юбки, блузки, платья, на-
кидки, костюмы, шляпки, шарфики — от
«Сержио Росси» и «Ланвин» до «Шанели».
Атласные ночнушки, нижнее белье, колгот-
ки, чулки, носки — от «Лагерфельда» до
«Макс Мары» и «Клое». Обувь на самых
разных каблуках — от «Кельяна» и «Патри-
ка Кокса» до «Сальваторе Ферогамо». Жа-
кеты, куртки, плащи, весенние и летние
пальто, зимние шубки — от «Женарда» и
«Гермеса» до «Лесарда» и «Армани». Украшения — от жемчуга до бриллиантов, от золота до платины — от лучших ювелиров Европы. Он был во всевозрастающем азарте
охотника, которому нужна — ну очень необходима! — искренняя, торжественная, все-
объемлющая победа над душой Маши Молчановой. Таков был склад натуры господина Черногорова — вампира, нуждающегося
не в крови, а в душе, энергии человеческой.

Иван Григорьевич пошел по салонам по
второму кругу, чтобы выбрать именно то,

что он сам желал бы видеть на красавице, ожидавшей его в номере пятизвездочной гостиницы «Националь». К поиску изяще-ства и красоты он относился чрезвычайно заинтересованно, не обращая никакого вни-мания на цены, и старался выбирать все, что, по его разумению, понравилось бы новому объекту обожания.

Маша Молчанова постепенно стала приходить в себя. Она буквально влюбилась в ванную комнату. Ничего подобного она никогда не видела и представить себе не могла. Махровые пушистые полотенца на-помнили ей белые шапки хризантем из гос-тиной, ласковый махровый халат свел с ума. Ей хотелось влезть в него и больше никогда с ним не расставаться. Сверкающий, благо-ухающий кафель, множество маленьких флакончиков шампуней, ароматов, одеколо-нов будоражили воображение. Фен, пилка для маникюра, чепчик для волос, какие-то другие незнакомые штучки изумили ее до глубины сердца. Более сильного впечатления в жизни, чем осмотр гостиничных апартаментов, она, выросшая в двухкомнатной квартирке хрущевского типа, в семье из пяти человек, еще никогда не испытывала. У нее был санузел в четыре квадрата площади со ржавыми, в потеках, трубами, а не ванная. Нет, это был не просто контраст — это была другая вселенная, другое мироздание. Молодая женщина постепенно начинала понимать, что это все она хочет иметь не на одно мгновение, не как эпизод, а на всю свою жизнь. Она заперлась на ключ, наполнила водой ванну, беспорядочно вылила в нее содержимое самых разных флакончиков, совершенно не понимая, что это и для чего предусмотрено, сняла с себя платье, белье и улеглась. О, это была необыкновенная, благоухающая мыльная пена, замечательная, ласковая вода! Это был огромный, совершенно новый мир — джакузи, где чрезвычайно легко и комфортно разместилась молодая женщина. При всех своих новых ощущениях и чувствах, при всей своей неопытности и молодости она уже начинала понимать, как не гармонирует ее гардероб, сброшенный, словно серая инородная субстанция, на сверкающий мраморный пол, с окружающим ее новым миром, и какая-то тайная, едва оформившаяся мысль вошла в ее сознание. Она стала мечтательно ждать господина Черногорова.

Иван Григорьевич накупил пять чемоданов вещей. Здесь было все — или, лучше сказать, больше, чем все. Но одна мысль успокаивала, оправдывала его: «Кроме этого, у нее ничего нет, она нищенка, а это самая последняя несправедливость. Это большая гадость — жить в нужде». За покупки он выложил тридцать семь тысяч долларов США. Триста долларов он оставил как чаевые. Его сателлиты с трудом несли чемоданы, а он легко, с особым чувством человека, совершившего благородный поступок, стрелой возвращался в «Националь».

Хотя господин Черногоров проделывал это уже в сотый раз, его беспокойная душа была в трепетном волнении. Ему надо было видеть свою победу, чувствовать свою силу в покорении души молодой женщины, вглядываться в смущенные, полные радости голубые глаза, слышать, как бьется юное сердце. Убеждаться в своей власти над человеком, над миром, знать, что он может давать, дарить, вручать ключи от рая, открывать ларцы счастья, врата благодати. Ему необходимо было уверовать в свои силы, в себя, в свой исполинский дух.

Господин Черногоров постучал в номер. Никто не ответил. Он повторил — опять молчание. Легкое беспокойство шевельнулось в его сердце. Своим электронным ключом он открыл дверь, сателлиты внесли чемоданы. Следов Молчановой в гостиной, в спальне, в кабинете он не увидел. Но в гардеробе по-прежнему висел ее бесцветный плащ и коричневое детское кашне. Он подергал ручку ванной комнаты — она не поддалась. У него отлегло от сердца. «Я здесь», — сказал он в дверь. Молчанова не ответила. Иван Григорьевич вернулся в гостиную, взял из бара бутылочку «Перье» и включил телевизор. Чеченская война и предвыборная гонка заканчивались. Польские уроды опять осквернили могилы россиян, павших во второй мировой войне. Курникова выиграла, «Спартак» на выезде сыграл вничью. Погода — плюс семь-девять градусов. Пошел какой-то мыльный сериал. Господин Черногоров прошелся по гостиной, встал у окна. Перед ним как на ладони был Кремль. Чувство обиды и жалости возникло у него. «Я здесь!» — услышал он. Иван Григорьевич повернулся. Перед ним стояла Молчанова. Она была в белоснежном халате. Ее влажные золотистые волосы строго спускались на плечи. Глаза, ее голубые очаровательные глаза, с легким смущением и удивительным доверием смотрели прямо на Черногорова. Они искали в нем защиту. Этот взгляд совершенно не был похож на взгляд женщины; это был невинный, чуть растерянный, вопросительный взгляд ребенка, ангела. Иван Григорьевич сконфузился. Он ожидал найти другое выражение ее глаз. Он как-то неловко повернулся, схватил первый чемодан, бросил его на канапе, открыл, потом распахнул второй — и так все пять. Молчанова совершенно ничего не понимала. Такого количества одежды она не видела даже в магазинах. Ум опять отказывался осмысливать происходящее. Заметив ее растерянность, господин Черногоров тут же пришел на помощь. «Вам будет трудно разобраться в горе этих подарков. Я помогу вам!» Он начал с белья. Это был парад лифчиков, трусиков, ночнушек, чулок... Она бегала в ванную, примеряла, показывалась ему, убегала переодеваться, являлась ему вновь, — и так десятки раз, пока не испробовала абсолютно все белье. Иван Григорьевич смотрел в ее счастливые глаза — и чувство великого удовольствия охватывало его, держало в беспощадном радостном плену.

Ему сейчас нужны были лишь ее глаза — флигель ее души! Поэтому ничего другого он не хотел видеть. Он смотрел на ее великолепную фигуру, на ее замечательное тело без эротического энтузиазма, а ее упругая девственная грудь вызывала мысли лишь о том, что он совершенно правильно определил в Петровском Пассаже размер лифчика. Потом начался смотр верхнего платья. Тут уж голова Молчановой закружилась основательно. От платья к платью псковитянка преображалась. У нее появилась какая-то, пока не очень отточенная, грация, изменилась, стала более стройной осанка, уверенной — походка; глаза, ее счастливые глаза, обрели большую успокоенность. Молодая женщина любовалась собой и была абсолютно уверена, что очень даже понравилась ему. Да могла ли она кому-нибудь не нравиться, эта двадцатилетняя, неискушенная русская красотка! Пожалуй, лишь неведомая дьявольская сила смогла бы сейчас устоять перед этим эротическим восторгом.

На сегодня они остановились на костюмчике от Сержио Росси из сиреневой, мягчайшей — в двенадцать микрон — ткани. Под жакетом Маша оставила атласную блузку от Шанель, на ногу сели лодочки от Бали. Господин Черногоров надел на ее палец колечко с сапфиром; на ее стройной шее, источающей аромат фиалок, он застегнул сапфировый кулон размером с маслину, помог укрепить серьги с тем же изумительным синим драгоценным камнем. Еще пару часов назад Маша Молчанова была провинциальной девушкой без вкуса и амбиций; теперь она стала молодой, супермодной, очаровательной дамой. Еще давеча она была лишь превосходным материалом для ваяния, но великий художник и ловец душ человеческих, господин Черногоров, уже сделал из нее утонченную, элегантно одетую красавицу. В эти дневные мартовские часы нового тысячелетия все происходило для Молчановой как в сказке. Впрочем, даже волшебнику не удалось бы проделать с ней такие превращения. Во всем случившемся проглядывал почерк дьявола, рука мистификатора.

Когда основной наряд был определен, Иван Григорьевич набросил на ее плечи норковый, цвета полярного восхода, полушубок, сделавший из нее буквально богиню изящества и красоты. Молчанова была на седьмом небе, она побаивалась лишний раз повернуться, не так взглянуть, не то сказать, она сейчас боялась буквально всего, чтобы не разрушить мир, в котором совершенно внезапно оказалась. С новым амплуа псковитянка сживалась быстро. Она была уже почти уверена, что переживает невероятный, но закономерный перелом в своей судьбе, что становится совсем другим человеком. Молчанова лишь коротко вспомнила цель своего визита в Москву, подумала, что мать сейчас в госпитале, у раненного под Улус-Кертом псковского десантника, солдата срочной службы Сергея Молчанова. «Сергею уже, наверно, легче», — пронеслось в ее голове, и она опять дала поглотить себя ситуации, в которой оказалась. Черногоров обнял ее за плечи, развернул в свою сторону и сказал: «Я рад за вас, вы выглядите великолепно. Все красавицы мира могут завидовать вам. Я приглашаю вас на обед в "Эльдорадо". Будем есть икру на крылышках колибри. А "Шато де ла Фит" утолит нашу жажду». Роскошная дама ничем не выдала, что совершенно ничего не поняла из слов своего господина. Она лишь трогательно и вопросительно посмотрела в его глаза, сверкающие в обольстительной улыбке, словно хотела еще раз получить одобрение своему виду и поведению. Господин Черногоров был щедр всегда — сегодня он был щедр особенно. Он поцеловал ей руку, заботливо обнял за плечи, поправил золотистые кудри, примятые воротничком норковой шубки. Тут же вручил ей элегантную сумочку от Валентино и передал изящный дамский кошелек, вложив в него несколько сот долларов и рублевую пачку. «В жизни случается всякое, а деньги помогают сохранять суверенность и стиль», — как-то полушутя, с лукавой улыбкой, сказал он. Иван Григорьевич взял ее за талию, и они пошли к выходу. Дверь в ванную была приоткрыта. На глянцевом мраморном полу лежал серый ворох одежды, вернее сказать, бывшей одежды молодой женщины. Одежда была такая жалкая, невзрачная, что Молчанова сразу не признала ее. Мужчина заметил ее растерянность. «Выбросим остатки прежней жизни?» — спросил Иван Григорьевич. «А вы как считаете?» — робко поинтересовалась она. Господин Черногоров собрал сбитую в кучку прошлую одежду молодой дамы, снял с вешалки ее детский шарф и выцветший плащ, старательно упаковал все вместе в пакет для стирки белья, и они вышли из апартаментов. У лифта Иван Григорьевич поставил пакет с вещами около двери перед номером 79 и по-мальчишески улыбнулся. «Шутка», — шепнул он.

Через десять минут «Бентли» подвозил их к ресторану «Эльдорадо». Суета сателлитов смущала молодую особу. В их продуманных четких движениях она усматривала какой-то особый порядок жизни, которого она еще не понимала, но который хотела постигнуть. На каблучках модельной обуви от Бали Молчанова чувствовала себя еще не очень уверенно. Это ведь был ее первый выход! У нее было ощущение, что все вокруг смотрят на нее, на ее великолепную одежду, на ее замечательную шубку. Ее можно было понять: в двадцать лет, такая хорошенькая, в такой богатой стильной одежде, с таким мощным мужчиной, с деньгами в сумочке, вышедшая из одного из самых дорогих автомобилей мира, — она имела право думать, что на такое ее счастье хочет глазеть, ей желает завидовать весь мир. Черногоров интуитивно понимал, чувствовал это обстоятельство. Он подошел к ней, взял под руку, и она медленно, неуклюже ступая, пошла следом, опираясь на его сильную руку. Ее щеки пылали алым пламенем, глаза, ее голубые глубокие глаза, только смущенно смотрели под ноги, сердце колотилось, как африканский барабан. У порога их встречали. Маша никак не могла понять, откуда они узнали, что она с Черногоровым идет в ресторан. Ее смущение усилилось. Несколько человек крутилось вокруг них. Она даже не заметила, как унесли ее шубку, как взошла она на невысокий подиум. Дама средних лет в жилетке цвета маренго и белоснежной блузке задержала Ивана Григорьевича. Они разговорились. Молчанова не прислушивалась, она была в сильном волнении и лишь наблюдала за Черногоровым. Он разговаривал с дамой — как она понимала, мэтром ресторана, — говорившей с сильным иностранным акцентом. Одновременно Иван Григорьевич махал рукой одному, здоровался со вторым, посылал воздушный поцелуй третьему, подмигивал четвертому, пожимал руку пятому, подавал какие-то знаки указательным пальцем шестому, раскланивался с седьмым. Его тело буквально ходило ходуном, казалось, что каждая его часть была вовлечена в какой-то церемониальный процесс по приветствию публики. Черногорова многие здесь знали. Маше показалось, что некоторые мужчины даже побросали вилки и встали из-за столов, чтобы обратить на себя его внимание. Наконец они сели в центре зала за круглый стол. Такого убранства стола она никогда не видела. Молодая дама боялась дотронуться до жаккардовой скатерти, больше похожей на праздничный наряд женщины, чем на настольное покрывало. Ажурные, с вышивкой, батистовые салфетки вызвали у нее искренний восторг. Молчанова побаивалась стаканов, бокалов, сверкающих вилок, ножей, ложек. Мэтр в жилетке цвета маренго продолжала оставаться перед ними. Маша слышала совершенно новую для себя лексику: «На аперитив, пожалуйста, "Гранд Мадам" от Вдовы

Клико, на закуску — белужью икру на крылышках колибри, королевские гарнелии на ломтиках авокадо, — перечислял, жестикулируя, господин Черногоров. — Было бы замечательно испанскую ветчину на небольших кружочках израильской красной дыни с морской травой и русской клюквой, холодную семгу в лимонном соусе с ржаными хлебцами в сочетании с листьями тархуна и кориандра. Принесите нам еще салат из плавников акулы, но не в кокотнице, а в виноградных улитках Эльзаса, и гусиную печень на марокканском грейпфруте с кисточками рейхана. На горячее, — продолжал он, — поджаренные ребрышки ягненка в малиновом соусе со стручками побегов сайгонского бамбука, окропленные анисом. Запеченная стерлядь с фрикадельками из каштанового пюре на ножках маринованного груздя; строганина из медвежатины байкальского бурого на меду, с черничной приправой и корнями жень-шеня на листьях лотоса, и кролик из местечка Шарон. Его приготовьте на гриле, подрумяньте, начините шпинатом с обжаренными артишоками и кусочками печени и подайте с подливкой из абрикосового ликера в сочетании с соком граната. Вино — "Шато де ла Фит" 93-го, вода — "Пелегрино", на десерт — жареные бананы со свежей клубникой в шоколадном соусе, но не на фарфоре, а в фаянсовых пиалах или даже лучше — в венецианском стекле. Венцом нашего ужина должен стать торт с начинкой, взбудораженной кипятком мякоти манго, в трюфелях из кистей акации, усеянный красными семенами магнолий, и "Милль форе" — пирожное со свежими лесными ягодами и пюре из манго на кофейном ликере. Под занавес, пожалуйста, по коньяку Людовика XIII "Реми Марти"! Аромат виноградников Шаранты, настоенный на вечной мудрости дубов из Калифорнии, Австралии и Бретани освежит наши мысли после бремени хлеба насущного».

Незнакомые, красивые на слух слова вскружили голову Молчановой. Она совершенно ничего не поняла из того, что заказывал господин Черногоров. Из запаса кулинарных слов и терминов она, выросшая в глубинке России, в основном знала такие названия, как «картошка», «селедка», «борщ», «рассольник», «лещ», «квашеная капуста», «самогон» — и еще пару незамысловатых, известных всем нам слов. А тут к ее ужину должны были принести такой фейерверк изысканных блюд! Как вообще она должна это все есть — ломала голову молодая особа. Но Черногоров не был бы бесом, если бы не мог читать мыслей Молчановой и не использовать такую ситуацию для достижения своей полной победы над совершенно непорочной душой Маши из старинного Пскова. Он не подглядывал за ней, когда делал заказ на ужин, чтобы упиться тем гипнотическим впечатлением, которое он своими поварскими фантазиями производил на Машу. Он был убежден, что его витиеватая кулинарная поэзия так же эффективно трудится на него в этот момент, как все другое, что он задумал, и будет еще работать ради безоговорочной капитуляции русской красотки. «Я буду говорить шепотом, за нами наблюдают. Ваша красота привлекает внимание. Она, как магнит, тянет к нам чужие взгляды и заставляет прислушиваться к нашему разговору, — начал Черногоров. — Смущение — не порок, незнание — не червоточина, отсутствие опыта — не ахиллесова пята личности. В двадцать лет — это преимущество! В вашем возрасте — это замечательное превосходство! Согласитесь, этот вечер был бы куда скучнее, если бы вы все давно знали, и не было бы никакой новизны, все было бы, как вчера, неделю, год назад. Познание мира начинается не с трудов Спинозы или книг Ницше, познание и постижение опыта жизни начинается с самого себя, с развития рефлексивных человеческих задатков. Это — неписаное правило. Только с простого, собственного необходимо начинать познавать мир! Перефразируем классика и скажем: дайте мне опыт и знания — и я переверну Вселенную! Я хочу дать вам все это. Я хочу видеть, как вы будете переворачивать наш еще пока неустроенный мир. Я хочу получить удовольствие и пройти за вами, наблюдать за вашими первыми шагами осмысления и покорения жизни, я хочу стать свидетелем вашего перевоплощения: из провинциалки — в зрелого, опытного человека, человека с вечными ценностями добродетели. Я хочу быть зрителем вашего воспитания, вашего восхождения на Олимп душевной красоты. Я дам вам все. Никакие президенты этого дать не могут! Я дам вам радость постигать удовольствие в мелочах бытия. Это самое великое блаженство! Ваша душа чиста, это белый лист бумаги! Начинайте вписывать в нее самые лучшие оттенки человеческих поступков. Не торопитесь решать, судить, ставить диагноз. На тернистом пути вам еще придется сделать множество собственных ошибок. Поэтому вначале слушайте, осмысливайте, спрашивайте меня, вашего духовного консультанта и друга, накапливайте опыт. Свою оценку жизненным явлениям вы еще успеете вынести. Скажу откровенно: вам чрезвычайно повезло. Встреча со мной — это большое событие в жизни любого человека. В этом мире не так много людей, кто смог бы дать человеку больше, чем я. Показать этот мир богаче, чем я! Рассказать о нем интереснее, чем я! Направить на путь добродетели правильнее, чем я! Избавить от искушения гармоничнее, чем я! Научить любить сильнее, чем я! Ненавидеть — жестче, чем я! Мстить — радостнее, чем я! Уважать человека — надежнее, чем я!»

Официант подошел к ней с подносом, на котором стояли бокалы изумительного «Гранд Мадам» от вдовы Клико. «Пожалуйста!» — услужливо сказал он.

Молодая дама растерялась, совершенно не понимая, как ей поступить, каким образом взять бокал. Черногоров тут же пришел на помощь: «Будьте любезны, поставьте нам шампанское на стол». Иван Григорьевич смотрел на Машу Молчанову, и душа его наполнялась безраздельным ликованием. Прошло всего несколько часов, а как изменился образ псковитянки, каким совершенно новым на вид существом стала она! Он уже сам переставал верить, что созданной им женщине — всего один час, что образ ее пока вымышленный, искусственный, что такой человек еще не существует, что он только теперь рождается, что вся работа по его шлифованию еще впереди. Ему необходимо было победить ее душу, чтобы быть уверенным, что он не разочаруется в этом существе в будущем, что молодая особа оправдает его надежды, его планы и проекты. Его страсть изменять судьбы людей, ломать их, ставить все с ног на голову подсказывала ему, что он на верном пути к успеху, что очень-очень скоро наступит новый этап — период ученичества, время созидания. «Эта безумная вдова Клико! Она заработала себе великое имя и огромные деньги на простом человеческом факторе, знании человеческой, может быть, даже русской, ментальности. Вам, Машенька, интересно знать об этом?» — спросил он как бы между прочим. «Очень!» — растерянно ответила она.

Тут необходимо отметить следующее. Молчанова никогда в жизни ни с кем не разговаривала на языке Черногорова. Это обстоятельство придавало ей дополнительную смущенность и растерянность. Она не только боялась здесь, в «Эльдорадо», что-либо тронуть, — пуще она стеснялась говорить. Порой у нее выскакивали короткие односложные фразы, но на большее сил не хватало. И господин Черногоров чувствовал это. «В 1797 году первая партия шампанского от вдовы Клико прибыла в Санкт-Петербург. Около тысячи бутылок приобрел местный купец Дормидонт Кафтанов. Шампанское продавалось за четыре с полтиной и шло с трудом. Кафтанов представил "Вдову Клико" на свадьбе второго сына князя Григория Алексеевича Щербатова — Алексея Григорьевича и дочери надворного советника, отставного секунд-майора князя Дмитрия Афанасьевича Мышецкого — Ольги Дмитриевны в ночь на 29 ноября 1798 года. Это была в Петербурге не простая суббота, и Дормидонту Кафтанову улыбнулась удача. Днем в Зимнем дворце состоялась торжественная церемония: депутация ордена Капитула была допущена к Императору, которого она провозгласила своим Великим Магистром. По этому случаю в Зимнем собралась лучшая тусовка империи: Государь Император Павел I, Великие князья Александр и Константин, другие великие князья, вельможи, государственные мужи. В этот день Государь подписал манифест, в котором объявлялось о регистрации "Ордена св. Иоанна Иерусалимского в пользу благородного дворянства Империи Российской". С этого дня остров Мальта приобретал выдающееся значение для русской внешней политики — настолько большое, что всякая держава, осмелившаяся угрожать Мальте в ущерб

правам Великого Магистра, должна была
вызвать против себя непримиримую враж-
ду императора Павла. А тогда это было для
всяких европейцев чрезвычайно опасно.
Одним словом, после официальной цере-
монии многие знатные и великие особы на-
правились в дом князя Григория Щербатова на свадебную пирушку. А тут им — пре-
зентация шампанского от вдовы Клико! По
отчетам приказчиков, было выпито сто
семьдесят три бутылки. И уже через пару
дней Кафтанову пошли заказы от известных в столице семей: обер-камергера графа Строганова, статс-дамы графини Пален,
секретаря приемной царевича Константи-
на, шталмейстера Муханова, камер-фрей-
лины Протасовой. А обер-гофмаршал
князь Нарышкин послал своего адъютанта
полковника Сабурова с отрядом казаков и
запиской немедленно выдать сорок восемь
бутылок от вдовы Клико. Поступили заказы от обер-камергера графа Шереметьева,
сенатора князя Юсупова, статс-дамы Рен-

не, графа и графини Ливень и т.д. и т.д. Бизнес пошел. Цена за бутылку поднялась до семи рублей».

Бокалы с живым шампанским от вдовы Клико искрились на столе. В них, как в зеркале, отражалось все многообразие света «Эльдорадо». Принесли закуски. Все было настолько новым для Молчановой, что она никак не могла обрести спокойствие и уверенность. Краски, линии, приятные запахи, красивые слова, изящные манеры, приветливые лица, элегантное убранство, энергичный голос господина Черногорова, его притягивающая, какая-то насмешливая, нечитаемая улыбка, его черные плутовские глаза, его спадающий золотой браслет с массивными часами, ерзающими на запястье, его не совсем понятный язык другой, еще незнакомой России — все это терзало душу молодой женщины, не выпуская ее из гипнотического ареста. Опытом ловца человеческих душ господин Черногоров понимал это. А ему нужна, до боли необходима была душа

Молчановой! И он продолжал свои плутовские, искусительные уловки и трюки.

«История пятнадцать лет спустя опять помогла вдове Клико. Победив Наполеона, Российская императорская армия вступила в Париж и восстановила на престоле Людовика XVI. Офицерство ликует: победа! — черные бесовские глаза господина Черногорова излучали магическую силу. — Нашлись смышленыши, которым по душе, но не по карману пришлась аура подвалов известной дамы из провинции Шампань. "Пейте, гуляйте, грабьте, — кричала вдова Клико, — расплачиваться будет вся Россия!" Так и получилось. Александр I Победитель императорским указом оторвал наших гвардейцев от шампанского, и русские полки вернулись на унылые, заснеженные родные земли. Скука, одни воспоминания — о «Гранд Мадам»! Тут и полилось шампанское от вдовы Клико рекой по цене 17 рублей золотыми за бутылку. Историки доносят до нас информацию, что многие офицеры буквально разорялись на французской вдове. Ее месть божественным игристым напитком склонов Шампани для некоторых наших повес оказалась жестокой и коварной. Попробуйте "Гранд Мадам", Машенька, и вы почувствуете великую ласку французского божества от вдовы Клико. Лучи солнца, сверкающие в вашем бокале, согреют, зажгут вашу душу, поднимут вас на высоту счастливых мгновений, необходимых каждому человеческому существу. Они придадут вам невероятную душевную силу, укрепят чистоту помыслов. У вас появится единая, бесконечная, даже фатальная сила добра. Возникнет витальное желание отдать мне свою душу лишь за один глоток волшебницы Клико».

Они подняли бокалы. Молчанова как-то по-новому улыбнулась, демонстрируя прелесть своих жемчуговых зубов. Эта улыбка была уже улыбкой женщины. Потом был ужин с экзотическими кулинарными яствами. Черногоров помогал молодой даме разбираться со множеством столовых приборов, объяснял происхождение тех или иных кулинарных рецептов, рассказывал о способах приготовления блюд на открытом огне, на плите, в духовке. Это была очень полезная информация образовательного толка, и Иван Григорьевич медленно, с какой-то легкой преподавательской ноткой в голосе, которая придавала разговору сходство с беседой между мастером и стажером, помогал молодой женщине осваивать окружающий ее мир. «Можно часто услышать расхожее мнение, что белое вино принято, или как бы даже обязательно, пить с рыбой, а красное — с мясом. Гастрономическая уловка! Химера! Этимология этого вопроса уходит в глубь истории, и суть его в другом: на берегах винодельческих стран — Франции, Испании, Италии, Германии — в незапамятные времена обычно рос белый виноград, а значит, курилось белое вино. На этих же берегах Средиземноморья, Рейна и Дуная жили и трудились рыбаки. Красный виноград традиционно рос, так сказать, в глубинке, то есть на значительном расстоянии от морского побережья. Там жили животноводы. В те давние времена совершенно отсутствовала технология хранения вина при транспортировке. Вот и получалось: там, где были рыбаки, или, лучше сказать, там, где была рыба, — было белое вино, а где пили красное вино, там рыбы не было — было мясо. Вот и вся история. Так что на вопрос: "Как вы можете красное вино пить с рыбой?" — совершенно невозмутимо отвечайте: "Мне по вкусу привычка Наполеона III рыбу запивать красным вином. Белое вино я предпочитаю пить только при обсуждении коллекций ювелирных домов Терри Винстона и Булгари, а также при чтении философских творений Томаса Манна или мелодичных строк Иосифа Бродского". Тут же вокруг вас будут говорить: "У Молчановой изысканный вкус, она очень оригинальна, у нее взгляды французского стилиста. Она дружит с Чубайсом, вхожа к Кудрину, пьет субботний кофе с Евгением Киселевым, на нее обратил внимание сам Петр Авен. Она чудо, эта Машенька!"» Иван Черногоров про себя прекрасно понимал, что Молчанова в первый день общения находится в тумане, в растерянности — столько всего совершенно нового для нее вокруг. Сейчас он не жаждал немедленной, молниеносной победы. Чувство игрока и человеческая щедрость вдохновляли его на медленное смакование близкого выигрыша, на неторопливое предвкушение исхода поединка — обязательно победного. Он никак не хотел побеждать слабого, он желал сделать из нее опытную особу — и лишь затем покорить ее душу, как он делал это прежде уже много-много раз. Но он прекрасно понимал и другое: от малого до совершенного, от простого до царственного — тоже один шаг, поэтому торопился, не ослаблял своего давления на нее знанием, интеллектом, обаянием. Его глаза блестели перед ней, как отполированные агаты, руки двигались импульсивно — на южный, итальянский манер. Господин Черногоров мастерски манипулировал огнем и мыслью и, как опытный жонглер, продолжал атаковать душу молодой русской красавицы. Двусмысленная таинственная улыбка, демонический оскал отбрасывали на весь его образ бесовские блики. Страсть, в отличие от интеллигентности, границ не имеет. Поэтому Иван Григорьевич готов был немедленно бросить тысячи самых разных высоких слов и свежих мыслей на игровую сцену, чтобы не упустить лавры триумфатора, не проиграть поединок, чтобы покорить душу псковитянки. Ни Молчанова, ни кто другой, конечно, абсолютно не знали, что было у него на уме. Зачем нужна была ему такая победа? Такой бесовский акт самовыражения?

Маша Молчанова очень медленно приходила в себя. Она успокаивалась, свыкалась с элитной обстановкой, с приятным ощущением ее новой мягчайшей одежды. Атласная блузка как бы защищала молодую даму от сумасшедшей новизны ощущений. Ее глаза, ее великолепные голубые глаза, успокоились, обрели природную, легкую, едва уловимую влажность, стали мечтательными. Ей еще совершенно не хотелось говорить. Но боязнь сказать слово и нежелание говорить — достаточно разные понятия. Она, как губка, впитывала в себя новый окружающий мир, находясь в речевом оцепенении от увиденного и услышанного. Черногоров своими манерами, щедростью, обаянием, одеждой, запахами, легкостью поведения, невероятным, завораживающим взглядом все больше нравился ей. Его начальная загадочность начинала уступать место доверчивой узнаваемости. Если вначале из его словарного запаса она понимала лишь глаголы, то теперь чувствовала, что ухватывает несколько больше. Между ними была разница в двадцать лет, но его поведение, его симпатия к ней, образы и логика рассказчика, гипнотичность привораживали к нему. Она уже хотела смотреть в его черные притягивающие глаза, ей уже была необходима его нечитаемая улыбка. Она уже нуждалась в его советах, в его голосе. Об одном молодая женщина пока совершенно не хотела думать: что будет ночью в гостинице. Мелькавшие порой в ее сознании мысли на этот счет она гнала от себя, чтобы возникшее состояние душевного равновесия не нарушалось.

«Почему, Машенька, Бог, создав человека последним, дал ему преимущество над всеми другими тварями? Он подарил нам разум — корень всех человеческих чувств и душевных переживаний, но и сознание — провокатор поиска альтернативы божественной силе. Жизнь человека сродни шагам канатоходца, лишь с той разницей, что канат для некоторых — Библия, для других — Конституция, для третьих — иные постулаты». Тут Черногоров поймал себя на мысли, что слишком высоко поднял планку, и решил говорить с молодой дамой менее академично. Он хотел втянуть ее в разговор, услышать наконец ее голос, узнать слова, которыми она пользуется, увидеть ее мимику, огонь ее глаз. Иван Григорьевич медленно, но неотступно проводил свою линию, чтобы добиться полной победы над душой Маши Молчановой. В этом был он весь, в этом была вся природа его супраментальной страсти, венцом которой было одно желание — разлом человеческой души. Ее пленение, ее рабское подчинение его, Черногорова, воле, для его особой душевной благодати, для каприза его всепоглощающей страсти, его неистового бесовства. «Очень важно выработать свои правила жизни, законы собственного существования, чтобы силы извне не разрушали цельность, оригинальность вашего «я», вашей собственной личности, — продолжал Иван Григорьевич. — Я рядом с вами, чтобы помочь вам найти жизненный фундамент. Человек появился на свет последним, потому что Создатель накопил опыт бытия других существ, осознал, что без разума, без души на земле не будет гармонии. Человек украсит среду обитания животных, как венец — королевскую власть, как бриллиант — мертвую оправу перстня, как хлеб — пустой бедняцкий стол, как бокал красного "Бордо" — жаждущее, сухое горло, как золотая монета — порожний заштопанный карман. Слушайте меня и запоминайте, записывайте, ведите дневник. Никто не скажет вам столько умного, полезного для жизни, как Иван Черногоров. Кстати, давайте, наконец, обстоятельно познакомимся. Я знаю, что вы из Пскова. Пожалуйста, расскажите все о себе. Я весь — внимание». Черногоров буквально впился в ее голубые глаза. На лице Молчановой выступил румянец, она отвела глаза и голосом, схожим с подростковым, сжав пальцы в кулачки, начала рассказ. «Я из Шумилкино. Псковитянка. Мой старший брат Сергей, который старше меня на два года, с ротой десантников под селом Улус-Керт, в Чечне, попал в засаду боевиков. Из роты выжили шестеро. Сергей — один из них. Он ранен в плечо и бедро. Вчера сделали операцию. Сергею теперь лучше...» — «В каком он госпитале, больнице?» — как-то напряженно спросил Черногоров. «В "Бурденко", на Яузе». — «Он в сознании?» — «Вчера был под наркозом». — «Когда вы были у него?» — «Я еще не успела. У Сергея моя мать». — «Плохо! Никуда не годится. Как мы можем предаваться гортанобесию, когда ваш брат, раненый, лежит в больнице, ваши земляки, его друзья, погибли в этой проклятой войне! Первое замечание, Машенька. Оплачиваем счет — и немедленно на Яузу». — «Уже девять, нас не пустят к нему». — «Второе замечание! Черногорова пускают всегда и везде!» Господин Черногоров щелкнул пальцами, подзывая официанта, и потребовал: «Пожалуйста, срочно полный расчет». — «Но еще только готовится стерлядь...» — растерянно произнес официант немецкого типа. Подошла дама средних лет в жилетке цвета маренго: «Что-то слушилос, гер Шерногороф?» — «Нет-нет, госпожа Ригель. Мы просто торопимся по срочному делу». — «Но вы не обидэлис?» — «Нет, все о'кей. Счет, пожалуйста. Мне бы еще побольше фруктов с собой». — «Сколка?» — «Пару ящиков!» — «Так много... гер Шерногоров, мы ресторан, Bitte, entschuldigen Sie, ich habe nicht so viel. Пошалуста, прастите!» — «О'кей, о'кей!» — господин Черногоров рассчитался, и они вышли из «Эльдорадо». Сателлиты проводили их к «Бентли», и автомобиль понесся по вечерним московским улицам, буквально пару дней назад освободившимся от долгого снега. «Вначале в "Елисеевский", затем на Яузу, в "Бурденко"», — бросил Иван Григорьевич водителю. Молчанова была смущена и растеряна. Два замечания подряд! Ей уже не хотелось говорить вообще. Она боялась, что он высадит ее, когда «Бентли» перед поворотом на Тверскую подъезжал к «Националю». Но господин Черногоров сказал, к ее удивлению, совсем другое: «Вы обратили внимание на госпожу Ригель, немку из "Эльдорадо", когда она отвечала на мой вопрос о фруктах?» — «Нет, пожалуй...» — подавленным голосом ребенка, который нашкодил, сказала она. «Сейчас обойдемся без замечаний. Даю вам первый совет: анализируйте речь собеседника. В ней очень даже много интересного, интригующего, подстрочного. Госпожа Ригель — менеджер ресторана. Профессиональное образование она получила в Германии. Последнее место ее работы перед приездом в Москву — ресторан "Казино" в Висбадене. Место немецкой шикерии. Особняк виртуальных денег, дом алчных страстей, арена в этом мире особая, страждущее место. Так вот, немке сложно, невозможно отказать клиенту словом "нет". Она вообще как бы и не отказывает, она переводит разговор на другой, немецкий язык, чтобы отказ выглядел не так прямо, не так грубо, как он может звучать на родной речи. Вам необходимо постигать искусство общения, в нем — великая польза для построения собственной судьбы, собственного успеха. Следите за моей речью, за моей логикой поведения. Клонируйте себя с меня. Я ария, я сверхчеловек! Если вы, другой, третий будете похожи на меня, мы быстрее изменим мир, мы сделаем его совершенно комфортным для всех его обитателей».

Автомобиль подъехал к «Елисеевскому» и остановился перед «Альфа-банком». Господин Черногоров выпрыгнул из машины и исчез среди прилавков царственного магазина. Два сателлита шли по его пятам. Он не знал, сколько больных и раненых солдат Отечества он встретит в больнице, поэтому брал все подряд: бананы, ананасы, чернослив, курагу, копчености, сыры, кондитерку, соки, воды, легкие вина, конфеты. Он хотел отблагодарить военных за подвиг во имя России. Угрызения совести возникали у него всякий раз, когда он вспоминал о войне в Чечне, и вот теперь жизнь преподнесла случай обнять солдата, поблагодарить раненого, угостить фронтовика. Он сметал с полок продукты, а охранники только успевали относить покупки в машины. Господин Черногоров вышел на Тверскую весь взмыленный и счастливый. Он благодарил судьбу, что она подарила ему такой великий шанс — упасть на колени перед защитниками Отечества! Ведь был прекрасный повод для этого! Свежий московский воздух обдал его прохладой. Иван Григорьевич несколько поостыл. Он сел в автомобиль и поделился своими чувствами и мыслями с Машей Молчановой. Пафос господина Черногорова был не совсем понятен молодой русской красотке. В эти минуты она думала совсем о другом. Ей казалось, что кризис в их отношениях как бы миновал, но возможная встреча в госпитале имени Бурденко с матерью и раненым братом ее очень беспокоила. Да и узнает ли ее родная мать в такой шикарной одежде? В таких драгоценностях? Какие дать ей объяснения, где тут правда, где вымысел? Ситуация сделала ее душу пленницей причуд господина Черногорова. Ей совершенно не хотелось ехать сейчас на

Госпитальную площадь, чтобы объясняться, показывать ему свою родню, свою мать — скромную, бедную русскую провинциалку, проводницу электропоезда Псков—Новгород, других псковитян, которые, вполне возможно, тоже были в госпитале, ухаживая за своими сыновьями и братьями. «Хоть бы нас туда не впустили», — молилась Маша Молчанова. Иван Григорьевич не был бы Черногоровым, если бы не понял, не рассекретил внутренние размышления молодой дамы. Поэтому, еще не доезжая до госпиталя, он предложил: «Пожалуй, я пойду один. Женщина должна входить в больничную палату лишь в халате сестры милосердия, а мы давеча и не ведали, что окажемся здесь. Это моя вина, прошу прощения, милая Маша...»

«Бентли» в сопровождении двух джипов «Чероки» подъехал к воротам госпиталя. На джипах мигали голубые спецсигналы. Это обстоятельство встревожило охрану «Бурденко». Сателлиты двух сторон встретились перед въездными воротами. Их встреча продолжалась несколько секунд. Потом, как по мановению волшебной палочки, ворота стали автоматически открываться. «Бентли» и один из джипов въехали во двор госпиталя. Другой джип остался у проходной. У молодой дамы замерло сердце. Ей хотелось еще глубже спрятаться в машине, у которой и так были тонированные стекла. Господин Черногоров обнял Машу Молчанову, прижался щекой к ее щеке, шепнул на ушко: «Как зовут вашу маму?» — «Соня Петровна!» — «Не грусти!» — губы в губы сказал он и вышел из автомобиля. Двое сателлитов сопровождали его. Он подошел к окошку регистратуры, протянул пятьсот рублей и сказал: «Милая тетушка! Пожалуйста, купите на эти деньги кагор, чтобы помянуть наших псковитян, десантников шестой роты, погибших на высоте 706. Их было 84, молодых, бравых русских парней. Кстати, в какой палате находится солдат Молчанов? Он один из шести оставшихся из той роты десантников». — «Вы щедрый человек! — сказала женщина из регистратуры, пьющая чай. — Вы бы эти деньги передали семьям раненых. Я должна направить вас к дежурному офицеру, но я не стану этого делать. Поднимитесь на второй этаж, палата шестнадцать». Он поцеловал ее худую руку и понесся дальше.

Госпиталь как госпиталь. Английский, французский, американский, может, чуть лучше внешне. Но горе, муки, страдания, бессонные ночи — те же самые. В коридоре тяжело пахло ношеным бельем. Словно тени, вдоль стен ходили хмурые, неприветливые, бледнолицые больные в байковых халатах и протертых шлепанцах. У палатных дверей кучковались женщины разных возрастов с воспаленными от усталости глазами и угрюмыми лицами. Они шепотом говорили о чем-то своем. Всюду стоял дух скорби, атмосфера печали. При виде этого нового для него мира господина Черногорова охватила бесконечной силы тоска. Ему стало трудно дышать. Он замедлил шаг и хотел было остановиться, чтобы начать раздавать больным, всем окружающим гостинцы, купленные в «Елисеевском». Но Иван Григорьевич удержал порыв новорусского поступка. Эта был бы не лучший жест в обстановке, которая давила на господина Черногорова, вызывая жалость и печаль. Он поймал себя на мысли, что редко бывает среди простых, обездоленных людей, плохо знает свой скромный, бесхитростный народ, и это признание сдавило ему горло, а на глаза навернулись слезы. Он пошел искать шестнадцатую палату. Иван Григорьевич старался не смотреть больше на пациентов госпиталя, чтобы отвлечь себя от этого страдальческого мира, в котором случайно оказался. И это у него получилось. Он шагнул в палату номер шестнадцать. Это была небольшая комната, такая же бледная, как ее обитатели. На четырех высоких металлических кроватях лежали перебинтованные, перевязанные тела. Рядом с ними на низких стульях располагались сиделки. Скорее всего, это были матери, жены, сестры в нехитрой, простой, изрядно поношенной одежде, напомнившие ему Машу, пополудни встретившуюся в центре на Манежной площади. Исплаканные, утомленные глаза женщин уставились на Черногорова. Он оторопел, смутился. Подошел к первой сиделке и глухим голосом спросил: «Кто здесь Сергей Молчанов?» Она без слов указала на кровать справа, на которой стонал раненый. Рядом с кроватью сидела женщина лет пятидесяти. Она то и дело смачивала ломтиком лимона губы больного. Правильные черты лица были узнаваемы. Это была мать Маши Соня Петровна Молчанова. С недоумением она поднялась со стульчика к Черногорову. «Добрый вечер, Соня Петровна», — еле слышно сказал он. «Добрый. А вы, простите, кто?» — так же тихо спросила она. «Друг всех пациентов Иван Черногоров!» — «Вы что, новый русский? Спонсор?» — настороженно начала она. Услышав эти слова, другие сиделки заинтересованно повскакивали и уставились на Ивана Черногорова. Он не был бы счастливчиком, если бы растерялся, утратил себя. Он не был бы Черногоровым, если бы не пошел открыто на достижение поставленной цели. А сила его душевного порыва сейчас была полная, абсолютно полная! Иван Григорьевич сразу оценил обстановку. Он понял, что здесь его ждут и он может оправдать их ожидания. Он принял вызов и громко, несколько даже артистически, бросил: «Да! Я спонсор. Я новый русский. Я пришел помочь всем вам. И хочу начать с Молчановых. Я счастлив, что мы, русские, меньше всех в мире страдаем тайноядием, одним из мерзких человеческих грехов — питаться втайне от всех. Тут больше преуспели наши соседи по Западной Европе». Черногоров как бы опомнился, что больничная палата вовсе не трибуна для проповеди и обсуждения христианских заповедей, одернул себя и перевел теоретические рассуждения в практическую плоскость

спонсорской помощи. Он вызвал своих сателлитов с ящиками продуктов, пригласил
старшую сестру, чтобы уточнить количество
раненых, размещенных в больнице, стал составлять их список. Вокруг него сразу закружились десятки людей со своими горес-
тями и проблемами, и господин Черногоров
старался каждого выслушать, каждому помочь, обласкать, посеять семена надежды.
Одному необходимо было лекарство, другому — билет на поезд, третьему — косты-
ли, деньги на оплату гостиничной койки
или мобильной связи для контакта с родней,
тысяча других, самых разных человеческих
потребностей и запросов. И Иван Григорьевич с маниакальной щепетильностью ловца человеческих душ не выделял никого, ко
всем относился одинаково участливо, никого не обошел, ни о ком не забыл, ни одну
просьбу не пропустил мимо ушей. Но во
всех своих контактах с нуждающимися он
старался каждому послать свой гипнотический сигнал: смотри, дескать, какую радость

и благодать испытываю я, оказывая тебе помощь! Бери пример с моих поступков, оказывай и ты помощь ближним, приходи к человеку, когда ты ему нужен!

Так прошел час, другой. Когда уже Иван Григорьевич собрался уходить, он еще раз подошел к Соне Петровне, обнял ее и шепнул: «О Машеньке не волнуйтесь, она находится под моим покровительством. Вот вам телефонный номер, по которому вы всегда сможете ее найти. Я забегу к вам завтра! Когда Сергей очнется, пожалуйста, поклонитесь ему от меня. Великое это дело — защищать Россию. Кому умом и помыслом, кому — мощью оружия и силой чести».

Визит в госпиталь обошелся ему в семнадцать тысяч долларов. Он с большой легкостью и радостью на душе отдал эти деньги нуждающимся, и чувство глубокой удовлетворенности не покидало его. «Разве много людей, способных на такие поступки, найдется в этом мире? — хвалил он себя. — К сожалению, пока не больше сотни. Не-

обходимо менять, ломать эту ситуацию...»
Уже на выходе к нему подбежала женщина
южнорусской внешности, с большими черными глазами, стройная, в опрятном платье и, задыхаясь, сказала: «Я готова стать
вашей наложницей, но мне нужны деньги
на протез отцу. Он потерял ногу под Урус-
Мартаном. Сколько стоит протез — я не
знаю, так что сама денежная наличность,
собственно, нам не нужна. Смогли бы вы
помочь приобрести протез? В госпитале
говорят, что вы спонсируете раненых! Я не
знаю, по каким критериям вы оказываете
помощь, но сама готова на все. Я должна
помочь отцу». — «На что вы готовы?» —
иронически улыбаясь, спросил господин
Черногоров. «Что я могу заложить? — как
бы разговаривая сама с собой, произнесла
молодая женщина. — Протез стоит, видимо, несколько тысяч долларов. При моей
зарплате в 140 долларов в месяц... Драго-
ценностей у меня нет, квартира съемная. Я
готова стать вашей личной наложницей,

рабыней. Что прикажете, что вы пожелаете, то и буду для вас делать!» Господин Черногоров стал осматривать этот объект более старательно. Это была высокая, хорошо сложенная женщина не старше двадцати пяти лет. Если бы ей поменять прическу и одежду, она смогла бы соперничать со многими московскими красавицами. Узкое лицо, аккуратный пикантный носик, длинные дугообразные брови, открытые черные глаза, смоляные жесткие волосы, легкая смугловатость лица. «Я хочу завоевать ее душу», — определенно решил Иван Григорьевич. Ему особенно понравилось ее неспроста сказанное, главнейшее для него словечко: «Все, что вы пожелаете». «Прошу прощения, какой смысл вы вкладываете в понятие "быть наложницей"? Как это технически выполнимо? Я не хочу выглядеть вульгарным, но ваше изящное предложение меня определенно заинтересовало. На первый взгляд все кажется справедливым: я несу расходы по вашим счетам, а вы

— по моим желаниям, причудам. Но если свои обязательства я знаю и готов их выполнять без малейшего дискаунта, а вполне возможно, даже с некоторым для вас профитом, то я совершенно не понимаю, какие у вас будут обязательства по совместному договору». — «А просто так вы не хотели бы помочь?» — с легкой раздраженностью в голосе спросила молодая женщина. «Вы меня пугаете! Я никак не пойму, что вы хотите? Вы предложили, прошу прощения за цинизм, игру. Она, вполне возможно, меня бы устроила. Теперь, прямо на ходу, вы желаете уже переписывать сценарий», — господин Черногоров чувствовал близость своего высшего наслаждения, полного подчинения души незнакомки. Но от чувства вкуса до желания лишь один шаг, и Иван Григорьевич, захлестнутый своим плутовским умом, однозначно решил продолжить натиск, чтобы завершить начатое дело. «Что это мы в дверях, пожалуйста, можем продолжить диалог в машине». Молодая женщина согласилась. Господин Черногоров пригласил ее в джип «Чероки», так как в «Бентли» сидела Молчанова. Водитель без слов вышел из автомобиля. Иван Григорьевич включил музыку. Салон машины наполнился джазом сороковых. «Иван Черногоров», — представился мужчина. «Катя... Екатерина Васильевна Хилкова», — назвала себя незнакомка. «Из княжеского рода Хилковых?» — «Есть такое», — согласилась молодая женщина и тут же про себя смекнула: может, сговорчивее мужик станет. «Не ваш ли прадед, князь Михаил Иванович Хилков, сеть российских железных дорог развивал, министром путей сообщения у Николая II, самодержца, был?» — «Я дальше второго колена о своих предках мало что знаю. Но по родословной я княжна». — «Что, княжна, о чем с Черногоровым договариваться будешь?» Хилкова взяла тайм-аут. Ей нужно было обдумать ситуацию и сделать предложение. Иван Григорьевич ждал. Он был спокоен, потому что уверен: никуда эта княжна не денется, душа ее станет его рабыней. Но азарт игры еще не погас в его жилах и сердце. Екатерина Хилкова сидела на кожаном кресле американского элитного джипа. Все говорило о том, что ее новый знакомый был человеком богатым. Да и вид у него был необыкновенный — если бы знакомство состоялось при других обстоятельствах, то она была бы даже совсем не против принять его ухаживания. «Но, может быть, я сама виновата, что с самого начала предложила себя в наложницы... Это все от отчаяния, от бедности, безысходности! Надо было начать просто и без обиняков: если есть у вас возможность помочь моему отцу, он из Чечни без ноги вернулся... Нет, не так я начала, не так. А этот Черногоров — обычный московский зверь, поймал дуру-жертву — не выпустит! Но в нем слишком много лоска: как он сразу мою фамилию признал, грамотей! Самые опасные люди — лощеные интеллигенты. Что делать... Придется продаться. Но, может, и другая выгода будет. Кем же окажется этот тип, Иван Черногоров?» Глядя куда-то в сторону, она сказала: «Продаюсь я тебе, Черногоров. Месяц я у тебя живу, а ты отцу-инвалиду протез немецкий покупаешь!» Но ему не это нужно было, ему-то ее глаза необходимы были! В них он мечтал разглядеть ломку, кувырок ее души, ее зрачки желал он подсмотреть. Но не доставила Катерина Васильевна ему этого удовольствия, не раскрыла свою душу, не предъявила ее хозяину лукавому. Поэтому господин Черногоров решил еще чуток поиграть. «Немецкий?» — как бы очень даже удивился он. «Так я же на целый месяц ухожу к тебе!» — «Как на месяц? Ну, на месяц — это другое дело! Тогда пусть немецкий!» — ухмыльнулся Иван Григорьевич. «Слушай, а ты не извращенец, Черногоров?» Мужчина взглянул на свой «Патэк Филипп». Было 23.46. Он решил прервать театр и перенести его на более позднее время. Его ждали коммерческие дела. В 0.30 у него должна была состояться встреча в Хаммеровском центре. Предмет обсуждения — сибирская сосна, которую желал приобрести крупнейший европейский производитель мебели, шведский концерн «Икея». Ежемесячно — пять тысяч кубов 50-миллиметровых пиломатериалов при восемнадцати процентах влажности. Он был уверен, что заработает на этом деле семьсот сорок пять тысяч долларов. «Княжна, — поделовому сказал он, — вот, возьми ключи от моей квартиры. Это дом напротив мэрии. У нового английского посольства. Вот мобильный телефон, вот карточка моего водителя. Когда освободишься — позвони по этому номеру, назови себя, и мои люди доставят тебя на квартиру. Впрочем, ты можешь распоряжаться автомобилем и по своему усмотрению». — «Нельзя ли поехать сразу? Я уже свободна». — «Сейчас у меня дела. Пока я занят!» — «Когда приехать?» — «Можешь сейчас. Вызови маши-

ну, покрутись по ночному городу и езжай
ко мне. Я буду поздно. В квартире чувствуй
себя как дома. Самое главное — учись быть
самостоятельной. Ищи решения сама. Если
я тебе буду нужен — звони, мой номер на
автоматическом режиме». — «Можно спросить?» — быстро вставила фразу Катерина
Васильевна. «Спрашивай!» — «Кто ты такой, Черногоров? Мафия?» — «Я счастливчик! Пока! Мы выходим. Эта машина едет
за мной. Вызывай другую!» Черногоров
торопливо вышел из автомобиля. Он обнял
ее по-своему, касаясь щекой ее щеки, и направился к «Бентли». Машина тут же рва-
нулась с места, за ней, включив спецсигнал,
понесся джип «Чероки». «Ничего себе! —
вслух удивилась княжна Екатерина Васильевна Хилкова. — Ну и Черногоров, ну и
крутой парень этот Иван Григорьевич!»
Она открыла мобильный телефон «Нокия»
и срочно потребовала автомобиль. Ей
очень приветливо ответили, что машина
будет через десять-пятнадцать минут, и со-

общили ее номерной знак: BMW O 079 AA.
Красивая москвичка с нетерпением стала
ждать дальнейшего развития событий. Она
была чрезвычайно заинтригована. Все выг-
лядело как самый настоящий весенний
сон...

Черногоров взял руку Молчановой и
коснулся ее губами. Он ни о чем не хотел
сейчас говорить и погрузился в свои размышления. Девушка Маша была растеряна
и сконфужена. Она ждала от него сообще-
ний из госпиталя, а он молча сел рядом и
отрешенным взглядом уставился на поток
машин, несущихся навстречу. Она ждала его
больше двух часов, и это время дало ей возможность самой о многом передумать. Нет,
теперь она была уже не та юная провинци-
алка, глазевшая сегодняшним мартовским
утром на витрины и дома московских кварталов. Все так молниеносно, словно по на-
стоящему волшебству, фундаментально изменилось в ее жизни, что она со стремитель-

ной быстротой начала становиться совершенно другим человеком. Если еще утром о защите себя, своих интересов, своего пространства она и пары слов не смогла бы выговорить, то ближе к ночи основная мысль, которая терзала, мучила ее, была именно эта, всеохватывающая: как бы не выскользнуть из этого нового мира, из своего волшебного перевоплощения, из полной загадок и новшеств жизни. У нее появилось незнакомое, ранее неведомое чувство собственника. Ее наряды, ее косметика, украшения становились для нее не только изящными и красивыми вещами, но были как бы амуницией, дающей ей возможность на равных защищать себя от вероломства судьбы, гримас и причуд окружения, времени. Она уже отчетливо понимала и то, что красота и молодость — это ее арсенал и оружие защиты. «В "Националь"», — бросил господин Черногоров. Она чувствовала, что-то подсказывало ей, что необходимо сейчас прижаться к Ивану Григорьевичу, всмотреться в его глаза, спросить, как было там, в госпитале. Но настоящего опыта не было, руки казались ей деревянными, непослушными, а тело и язык — окаменевшими. Она снова и снова пыталась заставить себя склонить голову на его плечо, передать ему свое тепло и энергию, дотронуться до его коротких волос. Наконец, когда они сворачивали с Яузы на набережную Москвы-реки, у нее получилось! Ее неуклюжесть была простительна — она сделала это первый раз в жизни. У нее в Шумилкине было школьное увлечение, а несколько лет спустя — легкий роман с офицером-пограничником. Они провели несколько вечеров на скамейках поселкового липового сада, где она вдруг стала женщиной. Но ничего другого еще не было. Поэтому можно было понять, сколько мужества и невероятных сил потребовалось от нее, молодой русской красотки, чтобы осуществить свой совсем незатейливый замысел. У нее уже начали складываться по отношению к Черногорову два чувства. Одно было восторгом перед его личностью, его обаянием, другое — ощущением какой-то еще не совсем осмысленной зависимости. Эти два ее чувства существовали как бы параллельно, и Молчанова в конце первого дня знакомства с Иваном Григорьевичем еще не смогла бы сказать точно, какое из них перевешивало.

«У вас очень добрая матушка, — начал господин Черногоров. — Она очень мила, приятно картавит... Я ее долго слушал. А Сергей спал, мне не удалось с ним поговорить. Встретил много интересных людей, познакомился с молодой женщиной...» — «С той, с которой вы вышли из госпиталя?» — осторожно спросила Молчанова. «Да. Именно! Обещал назавтра опять съездить в "Бурденко". Хочу поклониться Сергею. Вот и гостиница. Машенька, вы поднимайтесь в номер, я подойду позже». — «Может, поднимемся вместе?» — упрямо спросила Молчанова. «Нет, поднимайтесь сами. Не скучайте, смотрите ночные программы, остерегайтесь шестого канала», — усмехнулся он. Иван Григорьевич сам открыл ей дверь машины, проводил ее до входа в гостиницу, коснулся щекой ее щеки и шепнул: «Не грустите. Начните думать о себе. Это так замечательно и увлекательно — размышлять и общаться с самим собой! Осмыслите, пожалуйста, первый день вашей новой жизни. Я вас целую, буду позже. Если я найду вас спящей, то подойду утром перед завтраком».

Господин Черногоров мчался на набережную Москвы-реки к Центру Международного делового сотрудничества, прозванного в столице Хаммеровским. И прежние мысли вновь стали беспокоить его. «Как они не понимают, что необходимо сдаться мне не с искренней улыбкой послушников, а всем своим существом, всей своей духовностью и аурой! Только физической преданности, верности памяти тела мне недостаточно, чуждо мне и их пассивное соглашательство. Они должны передать мне свои души в прислужничество добровольно. С великой радостью, с умилением страждущего, с непритворным убеждением фанатика, с божественной уверенностью семинариста, с безропотностью ученика, внимающего мастеру, с озарением смиренного при умерщвлении плоти! Безупречная духовная преданность интересует меня, а не подобострастная привязанность к финансовому идолу, к рогу жизненного изобилия». Внутреннее видение настолько усилилось, что господин Черногоров стал воспринимать уже чисто физически все свои грезы, и перед ним возникли образы двух сегодняшних женщин в белых платочках на головах, с умиленными глазами монахинь — на фоне черногоровского лика. И такими четкими были эти образы, что Иван Григорьевич чувствовал на себе теплоту черных радостных глаз Екатерины Васильевны, а в выражении лица Молчановой он разглядел едва заметную эротическую искру. «Только не это, не сейчас, избави меня Бог! Теперь время зарабатывать деньги, а не предаваться любовным утехам».

В холле Центра его ждали два коммерсанта. Диалог был недолгим — Иван Григорьевич изложил им свое видение развития бизнеса. По его мнению, концерн «Икея» должен был открыть банковскую гарантию на развитие всего годового объема экспорта, а черногоровская сторона брала на себя обязательства продавить лицензию на переработку сосны на этот объем, — но не сибирской, а карельской. «Нас измучит железная дорога», — обосновал он. С ним никто не спорил. Деловые люди составили протокол необходимых очередных мер и разошлись. «Будет бизнес!» — про себя заключил господин Черногоров. Теперь ему необходимо было перебраться в «Редиссон-Славянскую» для встречи с представителями столичного банка, чтобы обсудить вопрос импорта из Караганды казахстанского угля. Это был очень перспективный проект. Однако под него совершенно не было финансирования. Иван Григорьевич подбирал банки, желающие участвовать в этом бизнесе. Ежемесячный доход по этому проекту должен был составлять около семидесяти тысяч долларов. Он включил мобильный телефон и набрал номер своего коммерческого агента господина Б-го. «Где вы? — спросил Черногоров. — О'кей! Через пять минут буду у вас».

Шел третий час утра, когда Иван Черногоров остался один. Он подошел к бару и заказал кружку «Гиннесса». Ирландское пиво успокаивало его, как ранняя утренняя заря. Ему не хотелось ни думать, ни есть, ни говорить, ни что-либо делать. Он облокотился на спинку кресла и закрыл глаза. Черно-красные круги вращались перед ним. Потом все исчезло, и он провалился в короткий сон. Через двадцать минут он очнулся и побрел к своему «Бентли». «Домой, в Барвиху!» — бросил он водителю. Тут он вспомнил о Кате Хилковой и снова включил мобильный телефон. «Сам звонить не стану, она, может, уже спит». Буквально тут же раздался звонок. «Черногоров! Слушаю!» — вяло сказал он. «Где вы, Иван? Я тридцатый раз набираю... Вы все не в поле досягаемости». — «Доброе утро, я был занят!» — «Когда приедешь? Я боюсь спать одна в такой огромной квартире... Я боюсь оставаться одна!» — «Борьба со страхом — приятнейшее занятие, а тоска — незаслуженный, неудобный спутник одиночества. Тут всегда есть варианты, Катенька. Ты представляешь себя антропофагом, глубоко входишь в эту роль, начинаешь искать в апартаментах свою жертву, разыскиваешь ее упорно и самозабвенно, устаешь, разочаровываешься пришедшей на ум чушью, фантасмагорией от лукавого — и в прозрении сладко засыпаешь. Есть другой метод: идешь к бару, пьешь стакан вина или водки, начинаешь грезить и уходишь в сон помимо своего желания. Я предпочел бы третий способ: усилил бы собственный страх подозрением, что

что-то жуткое должно произойти, стал бы убеждать себя, что кто-то мелькнул, что что-то громыхнуло, что вот-вот кто-то на тебя набросится. От такой сумасшедшей истерии, от жутких наваждений мозг чрезвычайно быстро устает и без участия твоей воли самозабвенно впадает в сон». — «Ты нагоняешь на меня страх...» — «Катенька, я отключаюсь, буду поутру. Целую». — «Зачем же я к тебе приехала?» — успела быстро вставить Хилкова. «По-моему, чтобы начать выполнять свои договорные обязательства...» — «Согласно нашему контракту, я должна быть с тобой...» — «Нет, ты хотела стать моей наложницей. Приказываю своей холопке — спать! Не мешать барину! Буду утром!» — господин Черногоров на этой фразе тут же отключил телефон и поехал почивать в свой барвихинский дом.

Утро было солнечным. После долгой зимы природа медленно просыпалась. Визг и гомон птиц, обильная капель напоминали о приближении весны. Господин Черногоров проснулся, как обычно, в замечательном расположении духа. Прямо с утра он хотел направиться к правительственному чиновнику, ведающему вопросами лесных угодий. Иван Григорьевич должен был продолжить развитие проекта по древесине для шведского концерна. Ежегодный доход от этого бизнеса гарантировал ему финансирование самых разных собственных фантастических игр и безумных причуд. Для этого господину Черногорову нужна была коммерция, бешеный, тотальный успех в ней. И ему это удавалось! Иван Черногоров сделал нехитрую зарядку, заскочил в душ, побрился бритвой «Жилетт», натянул на себя голубую рубашку фирмы «Брюли», завязал галстук от Ланвин, надел темно-синий, в тонкую светлую продольную полоску, костюм от Зеньи, сунул ноги в ботинки одной из самых дорогих обувных фирм мира «Норвегезе» («Lavorato a mano» — «Сделано вручную») и вышел на усадьбу к ожидавшему его «Бентли». Сателлиты тут же расселись в джипе «Чероки», и две машины понеслись по Рублево-Успенке в московский сити. «Первый адрес — Администрация Президента, к шестому подъезду; затем в "Националь"; потом на квартиру». По мобильной связи он спросил сателлита: «Как мои гостьи?» — «Все нормально, шеф!» — ответил охранник. «На волю не просятся, не требуют прогулки по асфальтовым тротуарам столицы?» — «Ха-ха, — усмехнулся сателлит, — пока молчат, шеф!» — «О'кей, друг мой!» — отключился Иван Григорьевич.

На Старой площади у очень ответственного лица господин Черногоров пробыл около сорока минут. Бизнес пиломатериалами получил свое дальнейшее развитие. Теперь Иван Григорьевич мчался к «Националю». Только сейчас он вспомнил о своей русской красотке. Он быстро воскресил в деталях все события дня вчерашнего и почувствовал прилив новых фантастических идей, организованных в единый, емкий, демонической силы замысел покорения души Маши Молчановой. Иван Григорьевич был — впрочем, как и вчера, как и обычно, — очень далек от мысли запутать ее сознание, ее неокрепший ум материальными образами или витиеватой риторикой. Господин Черногоров хотел действовать в своем оригинальном жанре: он желал подавить ее энергией своей психики, огнем благодатного духа, почти потусторонней по мощи силой своего «я». Загадка его первого впечатления, таинство принятия решения атаковать внутренний мир человека были и для него сакраментальными. В силу убедительной очевидности успеха его логика становилась мистической, а мир был чувствен и ощутим ближе, чем собственная память. В иерархическом ранжире событий своей жизни он всегда на первое место ставил победы над душами человеческими — потому сейчас очень торопился в гостиницу «Националь».

В 10.20 господин Черногоров постучал в гостиничный номер. Дверь медленно приоткрылась. На пороге появилась юная красавица. От лучистости ее необыкновенной красоты, ее свежести можно было лишиться чувств, упасть, глубоко провалиться в грезы. У эмоциональных мужчин мог бы случиться разрыв сердца. Она была в голубой атласной ночнушке. Золотистые волосы были собраны на затылке в копну, оставляя открытой высокую шею, на декольтированной груди сверкал бриллиантовый кулон. На лице не было ни малейшего следа макияжа, лишь длинные, пушистые ресницы могли вызвать недоуменный восторг — не искусственные ли они? В анналах мировой живописи еще не было такого идеального, прекрасного, воодушевленного девичьего лица. Судьба не подарила великим художникам гениальный случай лицезреть эту божественную красоту. Ее выразительные, голубого цвета, бесподобные глаза светились ангельской непорочностью и какой-то необыкновенной доверчивостью. Маша Молчанова без толики застенчивости, но с легчайшим упреком обиженного ребенка открыто смотрела на господина Черногорова. «Привет», — сказал он, прижавшись щекой к ее щеке. Они вошли в гостиную. «Как настроение, Машенька? Как спалось?» — «Я надеялась, что вы придете... Я ждала вас, — с обидой в голосе начала она. — А утром стала уже грустить. Да, давеча позвонила мама. Она перепугана. Я ее успокоила. Призналась, что совершенно вас не боюсь, что вы человек странный, но, видимо, приличный, и тревожиться не следует. А мама сказала, что вы донжуан, что все женщины госпиталя в вас влюбились. Вы действительно ловелас? Охотник за женщинами? Мама добавила, что вы шельма. Она наблюдала за вами в госпитале. Вы, как она подметила, в своей благородной помощи какую-то свою пользу ищете. Правда, никто не может определить — какую! Я тоже голову ломаю... Но в одном все больше уверяюсь: если уж становиться дурной женщиной, то только с вами!» Эти слова причинили ему острую боль, колко обожгли его. «Поднимаю третью желтую карточку. Девять желтых равны одной красной. А после красной карточки, как вы, видимо, знаете, футбольный арбитр удаляет игрока с поля», — расположившись в кресле, угрюмо сказал он. «Что неправильно, Иван Григорьевич?» — глаза юной дамы моментально повлажнели. Она уже в который раз про себя отмечала, что в равной степени боится потерять как Черногорова, так и новый, окружающий ее мир. Псковитянка с самого начала какой-то слабой, едва уловимой чертой разделила эти два понятия, и ум ее никак не хотел их объединить. Она упрямо отказывалась понимать, что Черногоров и есть этот ее новый мир, или ее новый мир и есть Иван Григорьевич. Первая прямая угроза господина Черногорова буквально вызвала панику в душе Молчановой. Ей чрезвычайно хотелось поступать уже только сообразно его желаниям, гармонии всей окружающей ее обстановки, пятизвездочного люкса одной из лучших гостиниц России. Ей все больше думалось только о самой себе, и жизнь хотелось начать как бы с чистого листа. Мама, другие близкие, друзья могут только помешать ей войти в этот новый мир. Она опять по неопытности делала ошибки, за которые глубоко корила себя. Перебирая причины, по которым этот светский мужчина отказался приехать к ней прошлой ночью, она приходила только к одному выводу, одному решению: что был какой-то неуклюжий с ее стороны промах, за который он хотел ее как бы проучить. Она поклялась самой себе отныне взвешивать каждое слово, продумывать каждое движение, контролировать каждый свой взгляд, чтобы не вызвать диссонанса и не нарушить этот хрупкий, лежащий перед ней мир.

Господин Черногоров чувствовал неудержимое разочарование — жесткой лексикой Молчановой, ее оскорбительными словечками. Чтобы осмыслить случившееся, ему необходимо было бесчисленное количество интерпретаций. В конце концов он постарался объяснить себе ее погрешности лишь ограниченными смысловыми возможностями речи, ее подростковым складом мышления. Впрочем, его вывод был на грани знания и вероятности, очевидного и предполагаемого. Он был вынужден поверить в свой диагноз. Излишне ревностное чувство желало видеть ее другой, более деликатной особой. Поэтому Черногоров решил преподнести ей урок изящного воспитания и вежливости речи, безукоризненных манер и доброжелательности языковых образов. «Старайтесь строить свои предложения в элегантной, легкой манере...» — начал он. Иван Черногоров говорил на эту тему с молодой дамой около пятнадцати минут. В иносказательных описаниях он преподносил риторические шаблоны искусства общения и этики словарных оборотов. Во всем чувствовалось усердие наставника, забота и заинтересованность мастера. Он не желал больше поражаться жуткой противоречивости между внешней красотой и внутренней захламленностью, между высоким стилем изящества и слабым, невыразительным словарным запасом. Она подошла к нему почти вплотную и, упорно глядя в его черные магнетические глаза, напряженно сказала: «Простите! Я думаю, что поняла. Я буду стараться... Я хочу вам нравиться. Дайте, пожалуйста, мне время, и я поднимусь до уровня, которой вы от меня ждете».

«Может, именно сейчас наступит момент истины! Необходимо усилить давление на нее для приближения великого действа — покорения души Молчановой», — вспоминая свой прежний опыт во множестве других случаев, думал про себя господин Черногоров. «Это уже лучше! — сказал он. — Но скоро, очень скоро должно быть великолепно! Должно быть прекрасно! Быть счастливчиком означает, прежде всего, уверовать в мое дело и слово абсо-

лютно, тотально, на ритуальном уровне!»
Тут он замер сам, ослепленный сиянием
своего гипнотического чувства. Сила его
была потрясающа! «Без этого райские ворота бытия закрыты, замурован вход в счастливый мир! Потребуется встать в общую
очередь, переселиться из моего мира в другой, в прежний мираж существования, в
фата-моргану чужих житейских клипов».
Иван Григорьевич понимал, что сейчас
именно с помощью этих своих резких суж-
дений он быстрее сможет покорить душу
молодой прекрасной дамы, что они помо-
гут ему достичь равновесия между чувствами и действиями, между мыслями и по-
ступками. И этот баланс духовных и физи-
ческих сил по каким-то тайным каналам
передался Маше Молчановой. Ей уже было
совершенно недостаточно только слушать
его и смотреть в его глаза, чтобы следить
за ходом его мыслей, за их развитием. Ей
уже необходимо было прислушиваться к
его сердцу, заглядывать в его душу, ловить

его жесты, чтобы лучше понимать его. Юная псковитянка начинала медленно и осторожно, своим полудетским, подвластным скоротечному разочарованию чутьем убеждаться: чтобы ближе сойтись с Черногоровым, ей необходимо как можно быстрее принять и осмыслить его огромный, непонятный мир. И она где-то в подсознании была уже готова отдать ему свою душу для проверки на всхожесть. Для постоянного пользования. Она уже готова была сейчас, здесь, немедленно отдать ему свое тело, свою энергию, свою еще не оформившуюся страсть. С застенчивой готовностью Молчанова ждала лишь одного движения его черных колдовских глаз, лишь первого, требующего ее жеста, стартового ласкового слова, чтобы броситься к нему в объятия и пуститься в пьянящий вальс сладчайших грез. Но ничего не происходило. Они не понимали друг друга! Каждый был верен собственному представлению о ходе событий. Иван Григорьевич своим лукавым чувством, словно сканер, считывал состояние молодой красавицы, но сам совершенно не был готов к взаимности. У него было достаточно причин чувствовать глубокое неудовлетворение. Он был сконфужен скоротечностью развития их отношений. Господин Черногоров ждал другого, главного: покорения ее души! — но никак не любовного сближения или сладострастного порыва. Ему чужды были сейчас эти чувства, тем паче что генеральное действо еще не состоялось.

Своим юным сердцем она никак не могла понять Ивана Григорьевича. Ведь она так прелестна, готова ко всему — только руку протяни! И вот тебе! Если он не хотел ее порыва любви, то что он желал получить от нее? Что другое могла она ему дать? Что у нее было, кроме молодости и красоты? Что такое тайное хотел получить от нее этот господин Ч.? Как могла толковать она, двадцатилетняя неопытная девушка, его бездействие и отсутствие желания? Тысяча часов захватывающего плена, безбрежных фантазий не дали бы ответа на этот коварный вопрос!

Ощущение бесплодности своих усилий было у него мгновенным, и фрагменты богатого прошлого с новой силой потянули его вперед. Впервые в жизни он почувствовал, что теряет нить, ведущую в прозрачное будущее. «Счастливчик! Что с тобой?» — хотел было вскрикнуть господин Черногоров.

Недосягаемая реальность и невостребованная близость самым отрицательным образом сказались на самочувствии Маши Молчановой. Страх перед временностью окружающего ее великолепного мира заполнил ее душу и сердце. Внутренний недуг боязни вселил в молодую даму смятение. Что ей необходимо сделать, чтобы остаться здесь навечно, никогда не возвращаться обратно в Шумилкино, на улицу Воровского, в семейную двухкомнатную квартиру, которую в самом ближайшем будущем полностью займет ее брат-инвалид? Чем станет она заниматься в городке, где проживает двадцать тысяч обездоленных граждан обреченного на нищету Отечества? Какие силы необходимо будет мобилизовать, чтобы не вернуться на свое рабочее место, в контору домоуправления, где она служила счетоводом по начислению пени за просроченные коммунальные платежи? Как она вообще вернется в Шумилкино с пятью чемоданами, в чьей-то чужой богатой одежде и с коллекцией ювелирных изделий? Что ей сказать, откуда все это? За какие такие заслуги? Озабоченность ситуацией, в которой она оказалась, вытеснила все прочие мысли. Чем дальше вглядывалась она в горизонт своей судьбы, тем пуще и неопределеннее становился мрак линии жизни. Именно в этот момент она впервые услышала свой внутренний голос: «Делай все, чтобы вцепиться в эту жизнь! Защищай себя всеми средствами». Сам, еще не совсем окрепший, молодой инстинкт решил вмешаться в ее судьбу! Таково свойство человеческой природы! Таков биологический закон бытия! Впрочем, тут вмешивается и сам дьявол.

Господин Черногоров чувствовал, что приближается самое главное событие, которого он ждал и которое так искусно организовывал. Капитуляция души вот-вот должна была состояться! Но почему-то предвкушения радости победы он не испытывал, более того — и это было совершенно новым для него чувством, — он не хотел его ощущать. У него складывалось впечатление, что какая-то совершенно новая преграда встала между ним и этой русской красоткой. Его постоянная, восторженная страсть к душе человеческой, к вечным ее поискам, к борьбе тайного с мистическим, человеческого с дьявольским вдруг исчезла. Сердце господина Черногорова стало пустым и нетронутым. То, что еще минуту назад вызывало у него глубокое любопытство и жажду познания, теперь совершенно не трогало, не волновало его. Повинуясь внезапному желанию, он уже хотел было бросить Молчанову и выйти без каких-либо объяснений вон, но молодая особа преградила ему дорогу: «Иван Григорьевич, вы согласились дать мне время, чтобы изменить себя... Чего можно ждать сегодня от простой русской провинциальной девчонки? Ошибок, глупых выходок, нерасторопных движений, раздражающей лексики». Она стояла совсем рядом. Ее девичья нетронутая грудь касалась его костюма. Но ощущение этого прикосновения было сродни касанию в толчее на мостовых города безликих приезжих столицы. Вся его нерастраченная мощь, с которой он ожидал сатанического чуда — покорения души Молчановой, — вылилась сейчас в глубокую депрессию. Счастливчик Черногоров впервые в жизни почувствовал себя глубоко раненным человеком. «Неужели перед красотой отступил? — пронеслось у него. — А ведь раньше всегда по-другому было!» Мысль известная, но никогда ранее у него в этой связи не возникавшая, сейчас разрасталась, трансформировалась из предположения в абсолютное убеждение. «Действительно, красота может спасти мир, а мир — это и душа человеческая!» — он произнес это с пафосом человека, способного превратить затасканный афоризм в золотую строку философа, подобно алхимику. Но тут же глухо, словно самому себе, добавил: «Красота развращает мир!»

Рядом с собой он чувствовал Машино прерывистое дыхание и знакомый легкий запах зубной пасты. Верхняя губа ее была чуть приподнята и, словно открытая створка раковины, демонстрировала сверкающие необыкновенной белизной зубы. Кожа ее лица была бархатной и слегка румяной, похожей на полуспелый абрикос. Он не хотел всматриваться в ее глаза из-за боязни увидеть в них не то выражение, которое нарисовало ему воображение. Во всем этом было, конечно, слишком много таинственного и для самого господина Черногорова. Нет, что-то особенное творилось сейчас в московской гостинице «Националь», или в самое ближайшее время должно было произойти. Господин Черногоров предчувствовал это всем своим бесовским чутьем. Повинуясь внезапному желанию, Иван Григорьевич вызвал в себе неукротимую ностальгию по азарту жизненной игры. Ему захотелось, как всегда прежде, но сейчас с особенным рвением, отдаться судьбе полностью и реагировать на происходящее раскрепощенным чувством счастливчика. Не противиться ни злу, ни горечи разочарования, ни радости восторга. Он принял решение в каждом последующем шаге, в действии и в слове не терзаться радостью сомнений, но принимать или ниспровергать мир только по велению сердца, по подсказке души. В этом признании было много от воспоминания счастливчика, нашедшего наконец смысл познания.

Время понеслось быстро.

Господин Черногоров не хотел отказываться от своей идеи вторично посетить госпиталь. Но на квартире, в доме перед Бородинским мостом, его еще ждала Катерина Хилкова. А напротив него стояла Маша Молчанова, двадцатилетняя русская красотка. Атласная ночнушка сползла, оголив плечо, ее глаза, ее голубые огромные глаза, стали требовательными, упрямыми. Во всей ее девичьей фигуре он увидел и почувствовал какой-то эротический вызов. Натиск чувств! Парад желаний! Феерический требовательный зов к любовной пляске! Это требование загоняло господина Черногорова в угол. Насколько его интересовала душа человека, настолько он был глух и нем к женскому телу. Он, как гурман в вопросах духа и плоти, позволял себе эрос строго по рекомендации, выработанной собственным опытом жизни: вначале должна быть победа над душой, а уж затем она могла быть над телом. И тут ничего нельзя было поделать. По-другому у него никогда не получалось, да, собственно, и сам он — в этих вопросах пуританин — никогда ничего изменять не хотел и спонтанно ничего себе не позволял. А сейчас, неизвестно по каким причинам, он вдруг отказался от победы над душой Молчановой. Значит, ничто не должно пробудить в нем желания овладеть плотью псковитянки.

Интрига осложнилась. Молчанова никак не могла решить, каким должен быть следующий судьбоносный шаг. Вокруг была кромешная тьма. Ее поставили на дорогу, и путь только начался. Лучше сразу остановиться, свернуть в сторону от фортуны. Совершенно неизвестно, на каких жизненных тропах ждут светлые блики бесконечных наслаждений, а где — мрачные гримасы пустынных лабиринтов. Полное недоумение затуманило взгляд очаровательных голубых глаз. Этот взгляд стал завораживать Черногорова. Особенностью сильного мужского начала остается способность энергии плоти воспламеняться вопреки чувству, в противовес разуму! Спичкой, возжегшей костер, может оказаться все что угодно: от слезинки, в солнечных лучах стекающей по щекам девственницы, до извращенного оскала фурии, требующей сребреников. Тут, как говорится, пути Господни неисповедимы, и дьявол пляшет на тринадцати свадьбах. Так и получилось! Молчанова обхватила руками плечи Ивана Григорьевича и прижалась к нему с восторгом женщины, ожидающей взаимности. Он был растерян: ощущение душевной пустоты переплелось с проявлением витальной энергии. Он не хотел сам себе признаться в этом, стыдил себя, но эта белокурая псковитянка все более интригующе вызывала его на борьбу со своей плотью. Неслыханно! Он уже готов был принять ее дерзкий вызов! Она требовала его тела, лихорадочно, быстрыми неопытными движениями пробивалась к нему. Потом они сплелись, как ветви магнолий. Огонь проснулся посреди бела дня, разгорелся, и музыка радости долго разливалась в апартаментах гостиницы «Националь». Это были звуки свирели и скрипки, тромбона и контрабаса; трава зеленела под ними, и в их заоблачном фантастическом мире цвели яблоневые и вишневые сады. Если бы эти звуки положил на ноты Шостакович, то мир узнал бы новую симфонию счастливейших мгновений любвеобильной весны.

Он испустил крик облегчения и ликования! Огонь стал успокаиваться, ослабевать и теперь лишь нежно тлел в уголках плоти. Наслаждаясь близостью, Молчанова пронзала господина Ч. и все вокруг себя огнеметным взглядом победительницы. Это был ее звездный час! Это был ее девичий, но дьявольский успех! Это была победа ее судьбы на перепутье дорог.

Наступила тишина и умиротворенность. Лишь играющий на щеках румянец да испарина на ладонях и лицах прижавшихся друг к другу людей придавали картинке на гостиничной широкой кровати одушевленный вид. Сосредоточенно, с выражением униженного и оскорбленного, он освобождался от эротического плена Молчановой. Гороскоп признавал в нем щедрого любовника и мечтательного партнера, но суть его натуры явно противоречила предсказателям. Как ни тяжело было признаваться самому себе, но какая-то еще неведомая, колдовская сила помимо его воли изменила его изначальный, привычный, узнаваемый внутренний облик! Пережить плотское преодоление оказалось намного страшнее, кощунственнее по отношению к своему «я», чем он предполагал! Его проигрыш, его слабоволие уходили слишком далеко за черту дозволенного, которую господин Черногоров сам себе определил, которой придерживался, словно подчиняясь заповедям, с сакраментальной твердостью и пунктуальностью. Для него всегда существовала одна-единственная дорога для достижения высшей благодати — покорение души человеческой, а тут — такое совершенно непредвиденное! Дьявольское! Он погрузился в свое «я» и почувствовал себя обманутым. Иван Григорьевич был убежден, что обманул его не кто иной, как он сам. И эта мысль мучила его основательно! Он встал с кровати и направился в ванную.

Чувства переполняли Молчанову. Так прекрасно и счастливо она себя еще никогда в жизни не чувствовала. У нее в руках было все: увлеченность Черногоровым, богатство выбора платья, лежащие нетронутыми деньги, опыт и знания, которые он обещал передать ей. Теперь она может стать студенткой или, что совсем не хуже, просто читающим человеком, разъезжающим по миру. Он купит ей квартиру в Москве, машину, мебель. Построит именно такую, как в гостинице, ванную! Любое ее желание будет тут же беспрекословно выполнено. Ее жизнь уже сделана! Ей нужно только быть с господином Черногоровым, а все остальное придет само собой! В таком замечательном состоянии духа ей захотелось крикнуть от радости, совершить какой-нибудь сумасбродный поступок, выпить вина, закурить сигарету, ворваться к Черногорову, пустить мыльные пузыри. Признаться миру, что она счастлива! Маша спрыгнула с постели, надела на босые ноги красные, с желтыми бантами, туфли, бордовый галстук Черногорова повязала себе на шею, а вместо ночнушки набросила его голубую сорочку. Именно такой — счастливой, смеющейся — и застал ее Иван Григорьевич. Его беспокойную голову опять стала заполнять прежняя музыка страсти, похожая на угрызения совести. Противоречивые чувства полезли впереди логики. Ему понадобилось открыть окно, чтобы признаться себе: «Все кончено! Меня ждет новое начало!» Он наткнулся глазами на ее оригинальную обувь и удивился, как он такое мог ей купить. «Машенька, — начал он. — Мне пора собираться. Я должен быть на своей квартире. Меня ждет человек. Впрочем, если у вас есть желание остаться в номере, я приду навестить вас позже». — «Я хочу посмотреть вашу квартиру». — «О'кей! Тогда начинаем собираться вместе».

На ней был зеленый костюмчик от Ив Сен-Лоран, красный шарфик и салатовая блузка. Из украшений она предпочла бриллиантовую тройку: колечко с камушком в 0,6 карата в обрамлении алмазной россыпи, такие же серьги и кулон. Она ждала повода поносить необыкновенного цвета норковую шубку, поэтому с большим удовольствием, сверкая голубыми глазами, набросила ее на плечи. Он поймал себя на мысли, что Маша Молчанова, вместо того, чтобы сохранить оригинальный колорит провинциалки, всякими ухищрениями и уловками, не совсем, правда, удачно, старается изобразить столичную богачку. Недовольная усмешка пробежала по его лощеному лицу. Он уже не хотел исправлять ее ошибки, подсказывать, шефствовать над ей. Господин Черногоров желал теперь только одного: стать молчаливым участником развития событий, всецело полагаясь на свою судьбу счастливчика. «Если мною отвергается ее душа, то хоть получу удовольствие, наблюдая за метаморфозами ее характера», — подумал Иван Григорьевич. Его душевный настрой вступал в область первых сомнений.

«Бентли» принес их на Арбат, к дому, в котором господин Ч. владел шикарными апартаментами. Мощный, одинокий современный дом горделиво стоял между мэрией и новым зданием посольства Соединенного Королевства. Исполин был одним из лучших многоквартирных домов столицы и произвел на Молчанову глубокое впечатление. Ее каблучки скользили по полированному мрамору фойе, словно коньки — по ледовым аллеям парка Горького. Лифт представлял собой целую роскошную квартиру. Здесь все блестело богатством, как в современной сказке. Опыта по осмотру помещений молодая дама еще не имела, поэтому все новое могла сравнивать только с гостиницей и автомобилем. И черногоровский дом вовсе не проигрывал в этих сравнениях. У Маши Молчановой возникла новая интрига — осмотр квартиры Ивана Григорьевича. «Как и с кем он живет?» — вопрос, мучивший ее после отъезда из «Националя», буквально заполнил ее сознание. Подойдя к двери, Черногоров нажал на звонок. «В квартире кто-то есть!» — пронеслось у нее. В этот момент на пороге появилась молодая красивая женщина в японской черной, с яркими красными цветами, легкой, чуть-чуть ниже бедер тунике. Такой классически стройной фигуре позавидовали бы многие девушки из известных домов европейских кутюрье. Женщина смотрела на Ивана Григорьевича восторженно горящими глазами, похожими на ожившие агаты. Каково же было ее изумление, когда рядом с ним она увидела яркую, фантастически одетую блондинку! Аура красоты тут же сменилась на атмосферу соперничества. Конкуренция! Обе молодые красотки отчетливо и быстро поняли: впереди их ждет коварная междоусобица, жесткое противоборство за предмет роскоши — господина Черногорова. Поэтому прямо с порога они вступили на тропу войны. «Что за девица с тобой?» — кокетливо, но с вызовом бросила ему Катя Хилкова. «Утро доброе, княжна!» — сказал Черногоров. Он подошел к ней, прижался щекой к ее щеке. Но этого молодой москвичке сейчас уже было недостаточно. Она нежно обняла господина Ч., даже попыталась поцеловать его и, задержавшись в объятиях, шепнула на ухо: «Я всю ночь ждала тебя. Что это за чудище, зачем ты привел ее? У тебя здесь прекрасно! Хочу продлить договор!» — она расплылась в улыбке. «На сколько?» — усмехнулся он. «На год! На всю жизнь!» Иван Григорьевич улыбнулся, взял обеих дам за талии и ввел в квартиру. «Представляю вас друг другу: это моя новая наперсница Маша Молчанова, а это — договорная партнерша княжна Екатерина Васильевна Хилкова. Прошу любить и жаловать. У меня чуть больше часа времени. Я проведу его с вами. В 14.00 у меня деловая встреча в ИТАР–ТАСС. Кроме того, я обещал сегодня быть в госпитале». Иван Григорьевич помог Молчановой снять шубку и вместе с молодыми женщинами вошел в апартаменты.

Весь седьмой этаж нового элитного дома он купил в 98-м году, за три недели до августовского дефолта. Здесь было 757 квадратных метров площади. Квартира состояла из 14 комнат, двух кухонь, трех ванных с мини-саунами и четырех гостевых туалетов. Гостиная, площадью около 120 квадратных метров, всеми витражными окнами выходила на Москву-реку. Вид из нее на город был бесподобный. Замечательным вкусом обладал господин Черногоров. Комнаты были уставлены мебелью высшей европейской пробы. Это был антиквариат среди антиквариата, самое изысканное дерево лучших европейских мебельных школ. Готика периода Елизаветы I соперничала с французским ренессансом времен Людовика XIII, неоклассицизм Георгианской эпохи спорил с периодом Директории, стиль рококо эпохи Регентства одерживал верх над манерами периода Реставрации и викторианского свободомыслия, линии и образы ампира соседствовали со временем королевы Анны и Георга Ганноверского. Здесь можно было увидеть часы из эбенового дерева с репетицией, отбивающей четверти часа, подписанные самим Робертом Сейгнором из Лондона, римскую бронзовую статуэтку Каутопата периода раннего христианства, чувал племени эрсари и вышитые шелком картины Мери Спенсер времен Кромвеля. Господин Черногоров коллекционировал фигурки из бронзы и слоновой кости Фердинанда Прайса, Ролана Пари и школы хагенауэров. Он интересовался европейским фарфором и керамикой Стаффордшира. На пембрукском столике красного дерева для срочных записей у него красовалась чернильница Минтона эпохи Георга III, рукотворное волшебство известного

Вильяма Холдкрофта, свежие лиловые хризантемы стояли в вазах из костяного фарфора неоклассического стиля Джошуа Споуда Второго, поставщика Его Королевского Величества принца Уэльского. На стенах были развешаны лучшие эскизы Бакста и Головина; рисунки костюмов к Русским сезонам в Париже Бенуа и Судейкина; живописные работы Коровина, Маковского, Кандинского, Поленова; портреты Малявина, Нестерова, Сомова, Григорьева; гравюры из Санкт-Петербурга периода правления Екатерины Великой и из Москвы времен Отечественной войны 1812 года. Это была не просто квартира — это был огромный мир со своими ирреальными страстями, честолюбивыми замыслами, материальными ощущениями. И этот гигантский мир совершенно смутил, ошеломил русскую красотку Машу Молчанову. Она никак не представляла, что мир, в котором ей, быть может, придется жить, — такой огромный, такой великий!

Каким ничтожным показался ей родной край и ее скромные, нереализованные планы построения собственной судьбы! Она словно в бреду ходила от одного аксессуара к другому, подолгу разглядывала каждый предмет, пытаясь понять волшебный дух творчества, магию созидания и полет фантазии. Ее душа от зависти и обделенности была полна неосмысленного негодования. Ей захотелось потерять из виду господина Ч. и Катерину Хилкову. Те стояли перед стойкой-сервантом красного дерева стиля чиппендейл с лиственным орнаментом и были увлечены беседой. «У вас уникальная квартира. Ничего подобного я никогда не видела. Поздравляю!» — с какой-то неопределенной радостью сказала княжна Хилкова. «Это немудрено! С зарплатой в сто пятьдесят долларов в месяц!» — «Вы хотите меня оскорбить?» — «Я ворчу на неустроенность жизни моих соотечественников!» — «Вы политик?» — «Давеча вы были со мной на "ты" и называли меня спонсором. Что изменилось за ночь?» — «Я бы добавила, за обездоленную ночь одинокой женщины в пустой кровати...» — «Не надо так драматично, уважаемая Екатерина Васильевна Хилкова. Я бы хотел различать увлеченность и договорные обязательства. У нас же контракт, и о ночном времени там нет никакого специального пункта!» — Иван Григорьевич усмехнулся и что-то шепнул ей губы в губы. «Ночью вы были с этой бестией? Кто она вам?» — «Я стараюсь окружать себя доброжелателями!» — «Скромно, господин Черногоров. Туманно», — Хилкова искала манеру и лексику общения. Она отчетливо понимала, что важно вызвать у него интерес к себе, а обычными приемами здесь успеха не добиться. Необходимо творчество. За ночь она многое обдумала и теперь отлично знала, чего хотела. «Чего вам не хватает в жизни?» — спросила она, в надежде вывести его на откровенный разговор. «Риторический вопрос... — Иван Григорьевич как бы даже задумался. — Я пытаюсь найти смысл. Этот поиск частенько напоминает погоню за миражом. Самое недостающее в жизни — понятие собственного предназначения. Иначе говоря — смысл бытия. Случается, я теряю его философскую нить, тогда на помощь приходят увлечения...» — «Например, эта белокурая бестия», — как-то наскоро, с легким раздражением, бросила княжна. «Катерина Васильевна! Голубушка! Непристойность — худой материал для предположений. Надеюсь, вы осмотрели квартиру... По ней можно определить предмет моих увлечений. Стройте свою жизнь на чувствах предвкушения лучшего, смакования грядущего, загадочного, провоцируйте радость, откройте сердце для добродетели. Обнажите в себе способности видеть будущее только через песни благодати. Перед вами обязательно распахнется восторг, и станет понятен мировоззренческий смысл и филантропическое назначение жизни». — «С моими-то деньгами...» — «Катенька, деньги — это прежде всего количество сохранения ценностей. Каждый из нас в рамках личного объема может распоряжаться сохраненными ценностями по своему усмотрению. Тут важно само действие деления, а не полученная цифра. Результат всегда положительный! Деление для меня — магическое действие, сродни философии самовыражения. Правда, вспоминая Толстого, я ухожу в беспредельную тоску перед его убеждением, что доброта наказуема. Моя душа неспособна верить этой мысли. Сердце протестует. Разум в негодовании. Прошу вас, княжна, пройдемте в культовую комнату. Я хочу подарить вам образ "О тебе радуется". Начало XVI века. Это чудотворная икона муромцев, наследников школы Дионисия. Она будет всегда вести вас к радости, к благородству и торжеству жизни», — господин Черногоров уже приглядывался к душе Хилковой. Он был убежден, что это будет тот случай, когда он сможет взять ее душу в любой момент, просто как вещь в ломбарде. Но сейчас делать этого не желал: в помещении была свидетельница — Маша Молчанова.

«Прошу прощения... Вы верующий?» — спросила Хилкова. «Неделикатный вопрос задаете, княжна. Иконы и церковная атрибутика, которую вы найдете в квартире, — не показатель религиозности». Он взял ее за талию, и они пошли в культовую комнату, находящуюся в южной стороне апартаментов. По ходу к ним присоединилась Маша Молчанова. У нее был ошеломленный вид нищего перед горой золота. От всего увиденного богатства молодая дама словно бредила наяву. Она почти убедила себя, что находится совсем рядом с возможностью владеть всеми этими сокровищами. Каково же было ее изумление, когда господин Черногоров снял со стены образ и передал его Екатерине Васильевне со словами: «Без радости в сердце нет благодати в жизни!» Хилкова поблагодарила Ивана Григорьевича, они по-православному расцеловались, она прижалась к иконе и стала ее с любопытством разглядывать.

Маше пришло на ум, что она тоже может получить какой-нибудь подарок. Она стала рассматривать комнату, чтобы быть готовой к вопросу, что ей здесь нравится. К иконам она не проявила особого интереса.

Мечтой семьи Молчановых всегда был ковер. В своей маленькой квартирке они несколько лет подряд переклеивали обои, но стена упрямо разлезалась и рвала бумагу. Тогда решили купить ковер, чтобы как-то спрятать трещину. Но денег никак не хватало, и семейный воздушный замок глубоко вошел в сознание молодой девушки как несбыточная мечта. Сейчас пришло время ее реализовать. Она подошла к ковру, свисающему со стены. Это был шелковый, зеленовато-песочного цвета, молитвенный персидский ковер тончайшей работы, типа «Ферраган» времен Грибоедова. Болезненные ковровые воспоминания отрочества лишали Молчанову мужества признаться господину Ч., что она хочет получить этот персидский «Ферраган» в подарок. Замешательство длилось несколько минут. Наконец молодая русская красотка как-то даже упрямо сказала: «Иван Григорьевич! Можете подарить мне этот коврик?» Черногоров горько усмехнулся. «Машенька! К сожалению, мне приходится поднимать четвертую желтую карточку. Я потом с вами объяснюсь». Наступило общее молчание. «Молодых дам приглашаю к чаю», — сказал, наконец, господин Ч. Он улыбался. Никаких следов огорчения на его лице не было. Он взял своих гостий за талии и повел в столовую. Хилкова припала к его уху: «Шеф! Мне переодеться?» — «Как вы решите... Туника вам подходит! Можете оставить ее себе». Иван Григорьевич вызвал прислугу и отдал распоряжение приготовить к 13.25 второй завтрак с круассанами и вареньем из лимонных ломтиков на меду.

Был субботний полдень. Лучи весеннего солнца наполняли столовую каким-то особенным после долгой зимы, восторженным светом. Черногоров глотнул ароматного чая и, чтобы занять время, завел с молодыми женщинами незатейливый, но актуальный разговор: «Утром переставляем часы на час вперед. Завтра выборы. Машенька, у вас есть открепительный талон?» Молчанова недоуменно и растерянно посмотрела на него, прося пощады. «Если вы хотите отдать голос за своего кандидата, то, наверное, это можно сделать на центральном избирательном участке. Я обещаю свозить вас туда. А вы, Катенька?» — «За кого прикажете голосовать?» — поцеловав его руку, спросила она. «У вас есть свой кандидат?» — «Вы мой избранник! Приказывайте, шеф!» — «Мне понравилось вчерашнее обращение Путина к нации. Он единственный из всех кандидатов использовал естественную природу вещей, и это у него здорово получилось. Он связал свою новую эру правления с переводом часов вперед. Яркий образ — новое время! Мне это понравилось!» — «Вы за кого голосовать будете?» — с боязнью в голосе спросила Молчанова. «Я хочу отдать свой голос за образ, сюжет, за свой сценарий. Возьмем, к примеру, балет "Пульчинелла". Либретто к балету пишет замечательный Андрэ Жид, музыку — фантастический Перголезе, театральные эскизы делает гениальный Пикассо, аранжировку — великий Стравинский, танцует великолепная Павлова! На спектакль мечтает попасть весь Петербург, Париж, Лондон, весь мир! Гениальные люди создали шедевр. Это — шаг в интеллектуальном развитии человечества. В искусстве есть ранжир, поэтому легко собираются великие команды, решаются гениальные задачи. Но среди политиков ранжира пока нет... Впрочем, есть и другая правда: чтобы художнику создать исторический шедевр, равный столетию, — необходимо мгновение; чтобы политику создать миг земного счастья человеческого — необходимо столетие!» — «А как вам Ямпольский?» — спросила Хилкова. «Явлинский... В нем много театрального. В рекламных роликах на лице у него макияжа больше, чем у дам полусвета в казино "Метелица"». Екатерина Васильевна громко усмехнулась. Двусмысленная улыбка коснулась и губ псковитянки. «Все, дорогие дамы, мне пора уходить. У меня встреча с южнокорейскими деловыми людьми в ИТАР–ТАСС. Потом я должен быть в госпитале. А вы чувствуйте себя как дома, общайтесь. Я заеду за вами вечером, и мы поедем ужинать в "Максим"». — «Шеф, — сказала Хилкова, — боюсь, но хочу спросить: вы будете говорить о бизнесе в ИТАР–ТАСС? Но это же государственная информационная служба?» — «Умница, Катенька, — одобрительно сказал господин Ч. — Но генеральный директор ИТАР–ТАСС Виталий Игнатенко является председателем Комиссии российско-южнокорейской дружбы. В рамках этой организации проводится деловая встреча. Хочу затянуть инвесторов на раскрутку нашего мотоцикла марки "Иж"». — «А можно мне с вами, шеф? Я тоже обещала родным быть в госпитале...» — «О'кей, княжна! Одевайтесь!» — «А я бы осталась здесь. Посмотрю вашу библиотеку», — молодая псковитянка отвела свои красивые голубые глаза в сторону и вышла из гостиной.

«Святой Иоанн писал, — про себя вспомнил господин Ч., — что лисица притворяется спящей, а бес — целомудренным. Одна хочет перехитрить птицу, а другой — украсть душу». — «Чему улыбаемся, шеф?» — шелестя туникой, спросила Катерина.

Он взял ее за локоть, отвел в сторону и очень тихо, губы в губы, заговорщицки сказал: «Святые отцы рекомендуют в разговоре с женщиной быть приветливым, но во избежание блуда — строгим! Есть одна вещь, которую человек никогда не сможет победить, — магия эроса! Мария Египетская во время особого давления бесов падала на землю и истерично кричала: "Боже! Спасай меня Сам! Я бессильна!" У меня есть одна идея... Торопитесь, я жду вас у консьержки».

Маша Молчанова крепко задумалась. Подобных испытаний ревностью она до сих пор не знала. В маленьком областном городке поселкового типа у нее практически не было поклонников. В Шумилкино все было серо: серые платья, свое и окружающих, серые стены домов и лица прохожих, серый недостроенный местный пейзаж из силикатного кирпича, серые от толщи пыли окна единственного магазина и милицейского участка. Среди общей серости она сама выглядела невзрачно. О чем вообще можно говорить, если в доме у Молчановых было только одно маленькое, отколотое по краям, серое зеркало, и молодая дама лишь в ванной люкса пятизвездочной московской гостиницы «Националь» впервые увидела себя при ярком свете и в полный рост! Именно тогда она по-настоящему себя рассмотрела, а когда появились черногоровские наряды, почувствовала себе цену и влюбилась в свой образ. Она понимала, что, не повстречайся ей такой зрячий, как Черногоров, который тут же приметил в ней писаную красавицу, она вернулась бы назад в свой поселок и ничего не знала бы об огромном мире, в котором теперь находилась. Но чудо свершилось! Да здравствует чудо! Когда Иван Григорьевич шептался с Хилковой, у Маши впервые в жизни застучало в висках и заломило в груди. Такого ощущения она еще никогда не испытывала. Она боялась упасть в обморок, поэтому отошла от них, чтобы без свидетелей обрести свою обычную форму. Всякий раз, когда у Хилковой как бы ненароком расстегивалась туника, оголяя грудь, Молчанова внутренне взрывалась, и в этой огромной квартире ей совершенно не хватало воздуха. Она буквально не могла дышать — и опять отходила, удалялась от них. Эти новые чувства беспокоили, мучили молодую русскую красотку. Но именно в эти неприятные минуты ревности она сравнивала княжну с собой, и ей, как бы в утешение, внутренний голос подсказывал, что господин Ч. изберет именно ее, с ней он останется. Когда человек ставит перед собой цель — он легок на заблуждения. Но другая правда состоит в том, что, только имея перед собой цель, он и может пуститься в дорогу. А все ошибки он совершает именно на ней. Маша Молчанова еще не научилась смотреть в глаза собеседнику, а значит, не могла смотреть в глаза жизни. Ее взгляд всегда был обращен поверх исследуемого предмета — примечательная черта гордых сограждан нашего Отечества.

Из затененных окон автомобиля «Бентли» она уже примеряла на себя других московских красавиц, и это заочное сравнение было не в их пользу. Если в ресторане «Эльдорадо», в первый свой выход в новый мир, она чувствовала себя смущенной и потерянной, то уже сегодня — особенно после любовной сцены в спальне гостиничного номера — обрела уверенность и легчайший штришок высокомерия. Человек быстро привыкает к новой высокой роли, особенно если она падает ему с ангельских небес.

Сказочная атмосфера квартиры господина Ч. подняла чувство собственного достоинства молодой дамы на новую высоту. С провинциальной непреклонностью собственника она стала обмерять апартаменты и оценивать содержимое. Конечно, она совершенно не знала тарифов. Но близость богатства взбудоражила ее юную, еще мало чем заполненную душу. Она ходила из комнаты в комнату и задавала себе вопросы, на которые еще не знала, как отвечать. Например, при виде напольных часов Каттеля в футляре красного дерева с инкрустациями и анкерным регулятором хода конца XVII века она спросила себя: а сколько эта чертовщина может стоить? И, недолго думая, решила, что цена этому незнакомому чудищу все триста долларов. В этом не было ничего удивительного. Молчанова еще никогда не видела долларов. Вчера, когда Черногоров дал ей денежные купюры высоких цифр, она держала их в руках впервые в жизни. До этого в ее кошельке больше пятидесяти рублей никогда не было. Но ревностное желание ко всему прицениться, узнать денежную составляющую вещи надо понимать без иронии и насмешки над русской красоткой. В двадцать лет провинциальный россиянин успевает узнать только одно: мир познается через сакраментальный вопрос — сколько это стоит? Мудрость приходит позже — на закате жизни. Что делать! Отсутствует инфраструктура. Но природные чувства понимания и уважения к красоте и изяществу у Маши Молчановой были, и они быстро развивались. Когда она разглядывала дубовый буфет с навершием эпохи Георга III, в котором для открытого обозрения был выставлен делфтский фаянс, майолика и китайский фарфор, к ней подошла служанка, женщина чуть более пятидесяти лет, с доброжелательнми морщинками вокруг печальных глаз. Она спросила псковитянку: «Угостить молодую женщину фруктами? У нас черешня, клубника, виноград...» — «Пожалуй, черешню с клубникой. Позвольте из этой тарелки», — и Молчанова указала прислуге на блюдо из мастерских Кастель—Дуранте сложного декора майолики времен восстания якобинцев, цена которого составляла более семи тысяч долларов. Мудрая прислуга не вспылила, а учтиво ответила: «Прошу прощения, но то, на что вы указываете, — не посуда. Это экспонат антикварной коллекции. В доме Черногорова принято за столом пользоваться *столовым* фарфором. Если вам нравится мягкая палитра бледно-голубых и желтых красок, я помогу вам подобрать такие цвета». — «Да, пожалуйста...» — смущенно ответила Маша Молчанова. С хмурым, обиженным выражением на юном красивом лице, не желая больше слушать поучительные проповеди и наставления, она пошла за прислугой в столовую. Ее душа находилась сейчас в плену у ревности и честолюбия.

Совещание в ИТАР–ТАСС проходило в зале пресс-конференций. После официальной части Черногоров каким-то фантастическим чутьем определил возможных инвесторов и тут же пригласил их на субботний ланч в бистро гостиницы «Мэрриотт». Княжна Катерина Хилкова была все это время рядом с ним. Она чувствовала себя под сильнейшим воздействием его личного обаяния. Он был таким виртуозным переговорщиком, что она то хлопала в ладоши, то подпрыгивала без тени смущения на стуле, то при всех целовала его руки с выкриком: «Браво!» Княжна слышала и видела только его. Ее душа нравилась господину Ч., и он желал иметь ее в собственности. Когда партнеры распрощались, Черногоров с Катериной Васильевной подошли к «Бентли». «Где продаются протезы для вашего батюшки? Сейчас же купим все необходимое. И сегодня же поставим фронтовика на ноги!» Слезы благодарности выступили на счастливых глазах Хилковой. «Ванюша, — сказала она, — спасибо тебе, но вначале необходимо сделать заказ, внести предоплату. Протез поступит позже!» — «У Черногорова все получается здесь и сразу! Где та фирма? Куда ехать?» — «Это недалеко, на Масловке!» «Бентли» в сопровождении двух автомашин охраны помчался на Масловку. «У вас есть описание — что мы должны купить?» — спросил он. «Вот, пожалуйста».

Автомобиль подъехал к английской фирме «Бечфорд». В приемной Иван Григорьевич обратился к секретарше: «Мне необходимо срочно переговорить с менеджером по продажам». Через пару минут к ним в приемную вышел молодой мужчина с узкими усиками, совершенно лысый; на шее из-за воротничка выглядывала густая копна рыжих волос. В руках он держал рекламные файлы и прямо с порога быстро бросил: «Какой протез желаете?» — «Нам срочно нужен протез правой ноги высшего класса...» — «Для кого? Женщина, мужчина, сколько лет, принесли ли вы гипсовый слепок культи? Где больной?»

Мужчины говорили около часа; совершенно новые слова и термины уже были на слуху у Хилковой. Они обсуждали стопу, коленный адаптер, ортокриловую смолу, вакуумное крепление пояса, микрокомпьютер, способствующий эффективному управлению протезом, титановые комплектующие, вакуумную трубку голени, пластиковые гильзы, гарантированное обслуживание протеза, учебный процесс ходьбы и т.д. и т.п. Заказ на протез был, наконец, оформлен. Он обошелся Черногорову в шестнадцать тысяч долларов. Было решено, что основной протез поступит через три-четыре месяца, но уже сегодня, сейчас, немедленно бригада спецов выедет вместе с ними в госпиталь, чтобы адаптировать временный учебный протез военному инвалиду.

Был достигнут уговор: если команда протезистов сегодня же поставит на ноги полковника Хилкова, то каждый — а их вместе с менеджером было трое — получит по
тысяче долларов.

Катерина Хилкова пока ничего толком
не понимала, кроме обрывочной термино-
логии, но чувствовала, что дело двигается.
А когда Иван Григорьевич вызвал по телефону сателлита и тот пришел с сумкой денег, то Хилкова окончательно поверила:
Черногоров возьмет протез сегодня. Он отсчитал деньги. Наступила пауза. Господин
Ч. молчал, поглаживая щеки. Екатерина
Васильевна сидела как на иголках. Минут
через двадцать из внутренней комнаты
вышли двое мужчин с коробками. «Мы готовы. У нас все в порядке!» — сказал менеджер. «Поехали в госпиталь», — с само-
довольной, даже какой-то детской улыбкой
произнес Черногоров. Хилкова бросилась
ему на шею. Силы оставили ее, их хватало
лишь на рыдания и поцелуи.

...Он оставил их в палате с полковником Хилковым.

Вокруг него опять образовалась очередь. Роем закружились записки, рецепты, устные просьбы, плач, стон и гвалт еще не услышанных. Некоторые просили у него, другие требовали, третьи буквально хотели отнять то, в чем они нуждались, четвертые посягали на самое главное — на будущее его внимание! Но Черногоров никогда не позволял себе всматриваться за горизонт, потому что не любил ничего бесконечного. Чем ближе понимал он свой окружающий мир, тем спокойнее, счастливее ощущал и чувствовал себя; но стоило ему заглянуть за занавес вечности, как он впадал в глубокую тоску и депрессию. Русский человек после семидесяти пяти лет господства коммунистической морали совершенно потерял чувство собственника, денег, финансовой ответственности и такта. Поэтому одним Черногоров помогал, других — их было меньшинство — лишь выслушивал или давал им советы. Он посетил Сергея Молчанова, поклонился его подвигу, вручил ему на адаптацию конверт с пятью тысячами долларов. Коротко переговорил с матерью Молчановой, дал санитаркам по зеленой десятке. В такой суете прошло более часа. Господин Черногоров всегда был деликатен, а сегодня еще и чрезвычайно оживлен, поэтому ему многое удалось успеть. Вдруг он увидел Катерину Васильевну, идущую под руку с полковником. Он сразу заметил, что военный передвигается с большим трудом, опираясь на руку Хилковой и одного из протезистов. Комок слез застрял в горле Черногорова. Он быстро пошел им навстречу. Полковник Хилков протянул ему руку: «Спасибо, друг!» Они обнялись. Никто не хотел говорить. Василий Хилков думал о своем унизительном величии, господин Ч. — о великом унижении нации! Они разошлись как люди, преисполненные чувства выполненного долга. Катерина Васильевна передала отца на попечение своей матери и побежала за Черногоровым. Перед лестницей, ведущей к выходу, к Ивану Григорьевичу подошла старушка. Она была дряхлая, с трясущимися руками и редкой седой бородкой. «Сынок, — обратилась она к нему слабым голосом, — найди возможность помочь моему внучку... Кольке Литерову. Он младшим сержантом был. Теперь лежит без обеих ног и руки. Он без отца и матери у меня рос. Я одна у него. День напролет просит у меня морфия. В госпитале его нет, а у него только одна просьба. Ни есть не хочет, ни пить. "Дай, бабуля, морфия!" — как заклинание повторяет! Помоги старушке перед смертью». — «Может, что другое, милая бабушка?» — «Я уже перед ним на коленях стояла, Богом молила! Ему только эту чертову гадость нужно». — «Пришлю коробочку... В какой палате вас можно видеть?» — «В двадцать третьей. У кровати Николая Литерова». Слезинка на щеке у старушки держалась словно приклеенная.

Исидор Исидорович, как обычно, очнулся в 16.30. Сложная механика сна этого средних лет, полноватого русского господина, с вечно обеспокоенными черными глазками, сплющенным, похожим на бугорок невыгодным носом на скуластом волжском лице и татуировкой во всю грудь: «Демократия — пустой звук» — была положительно редкой. Можно было только утверждать, что отдыхал он с 13.30 до 16.30, то есть каких-нибудь ничтожных три часа в день. Когда же ему удавалось набирать свою положенную суточную норму и перехватывать для сна другое время, установить было совершенно затруднительно. Фамилия его не называется не с каким-то сознательным умыслом, чтобы читатель вдруг не встретил его случаем, а по той причине, что сам Исидор Исидорович имел все основания ее скрывать, и являлась она какой-то даже тайной. Он всегда был дома, самовар его кипел весь день, а это — *самое главное* — всегда было у него под рукой. Сигареты, сладкие сухарики и конфетки никогда не переводились на его столе. Однако время с 13.30 до 16.30 было абсолютно запретным для частных и деловых визитов в его комнатку в двухкомнатной квартирке в Столовом переулке. Дом, в котором имел свою собственную жилплощадь И.И., — иногда именно так придется называть Исидора Исидоровича, как делали все его приятели, — был достаточно известен москвичам по двум выразительным обстоятельствам: в нем размещался антикварный магазин «Романовская утварь», а рядом с ним имел свою будку для чистки сапог и продажи шнурков ассириец Володя, знаменитый подбивщик женских каблучков!

Итак, выходя из своего морфейного состояния, И.И. привычно потянулся. Но потянулся он определенно не так, как это делает большинство жителей арбатских кварталов столицы. Исидор Исидорович потягивался в противоположную сторону, так сказать, вовнутрь, чтобы стать человеком меньшим, чем он был на самом деле. На это у него были свои, очень даже веские причины. Если во время сна И.И. был все 175 сантиметров, а иногда и больше, то стоило ему проснуться и потянуться в обратную сторону, как рост его уменьшался до 163, а при более старательном потягивании в дни особой напряженности — и вовсе только 159! Чего только ни придумает человек для собственного благополучия!

Сегодня Исидор Исидорович имел достаточно оснований быть человеком меньшим, чем вчера. Обычно такая нужда в сокращении собственных размеров возникала у него всякий раз, когда получал он это *самое главное* высшего качества и ожидал деловых посещений очень авторитетного порядка. Поэтому, приходя сейчас в себя, он более тщательно по-своему потянулся, суетливо залез в подмышки, достал оттуда свой душок, сосредоточенно, пожалуй, даже с каким-то азартом принюхался к нему, поразмыслил, бросил себе под нос: «А времечко, пожалуй, еще есть!» — и стал неторопливо приподниматься со своего арабского, в прожженных сигаретами дырках, дивана.

Тут необходимо сказать об одном обыкновении Исидора Исидоровича, чтобы ясно было, почему, вставая с постели, И.И. первым делом поправлял на голове кепку, сажая козырек по линии своего не совсем серьезного носа. Исидор Исидорович никогда, даже в постели, не расставался с головным убором! В летнее время он круглосуточно прикрывал свою небольших размеров голову этаким твидовым блином с пуговицей на самой макушке, зимой же ни за что на свете не желал прощаться с крашеным зайцем. Это не только на людях, но и оставаясь наедине с собой! Ходили слухи, что для ванной у него была крепкая резиновая шапочка фабрики «Скороход». Ну а если ему надо было вымыть голову, то он обязательно выключал свет, чтобы, не дай Бог, ненароком не заметить ее в зеркале. Что за такие чувства питал он к собственной голове — никто, конечно, не знал, а от самого Исидора Исидоровича получить на этот счет объяснения было невозможно. Случалось выслушивать ему различные насмешки, вроде: «С шапкой родился!», или: «Небось, в шапке деньги держит, оттого с ней не расстается», или еще: «Какой клей держит твою кепку?». Один раз особые насмешники стали утверждать, что, дескать, И.И. не снимает своей шапки потому, что плешивой головы стесняется. Да так колко они посмеивались, что Исидор Исидорович схватил руку одного из зубоскалов, просунул ее под свой блин да тут же выдернул ее назад. «Ну, что?» — спросил он в сердцах. «Ха! Есть волосы!» — признался хохотун. Впрочем, со временем все это стало забываться, и странности Исидора Исидоровича могли теперь вызвать смешки только у посторонних, у тех, которые смеются бородавке на носу прохожего или откусанному по краям чужому уху, вовсе не замечая собственной квадратной головы или ортопедической походки. Таких бездельников нынче на Арбате предостаточно. Но И.И., человек занятой и деловой, из них категорически никого не знал, а потому совершенно спокойно носил свой твидовый блин и был этому обстоятельству очень рад.

Необходимо отметить, что Исидор Исидорович был человеком нисколько не арбатского склада ума. Взять, к примеру, историю с вырезанной им из журнала «Лица» репродукцией картины Леонардо да Винчи. И.И. не пожелал вставить ее в желтую, из канцелярского магазина, рамку, как это делают любители и знатоки искусства арбатских кварталов столицы; вместо этого он суровой ниткой пришил ее к своему уже выцветшему армейскому кителю, который неряшливо был прибит иглами ветеринарного шприца к стенке посреди комнатки. Так что теперь за всеми его действиями постоянно наблюдала смущенная, совсем даже русская улыбка Джоконды.

Или взять мебель: это была не привычная для арбатцев мебель, это был какой-то длинный огромный ящик, сконструированный по чертежам самого Исидора Исидоровича в мебельной мастерской около Горбушки Ильей Исаковичем Фрайштетером. А это был великий мастер! Здесь была тысяча самых различных полок, нескончаемый лабиринт шкафчиков, хитро продуманные катакомбы скрытых ходов и тайных мест. Это был огромный мир, в котором с чувством и достатком умещался Исидор Исидорович, со своими секретами и неконституционными страстями и мыслями.

А какая была у него обувь! Какие-то шелковые, нет, бархатные, нет, из воздушной ткани туфли, в которых он шагал так тихо, так легко, что никакие соседи не могли его услышать, никакие современные радарные приборы с Безбожного переулка не способны были бы фиксировать его шаг.

Если бы Исидор Исидорович жил не в мегаполисе, а в каком-нибудь тевтонском замке, то его мягчайшая походка роднила бы его с привидениями.

Что за лампы были у И.И.! Свет мог направляться, мог высвечивать, ретушировать, фокусироваться на самых мельчайших предметах, деталях, углах комнатки во время обязательных процедур этого *самого главного*. Это был настоящий парад огней!

Все это имело свой строгий деловой смысл.

Исидор Исидорович обстоятельно проделал эти свои обязательные *главные* процедуры, с удовольствием отметив, что это *самое главное* было действительно очень высокого класса. Еще не успела сойти с лица эта его краснота, еще не прошли эти его почесунчики, еще не прошагал он так по своей комнатке, как услышал из соседней комнатки игру гитары и незнакомые куплеты, напеваемые женским голосом:

Как хотите, господа, —
Догола иль до пупа?
Прямо здесь в Арбате,
Иль у милиционера в хате?
Ох, московская, сорокоградусная,
Открывайте, покуражимся!
Есть новинка, фирмачи,
Не испачкайте френчи!
И добрая примета —
Брать за щеку монету!
Ох, столичная, сорокоградусная,
Приглашайте, нацелуемся!
Фортуна смотрит нам в глаза,
Мы за разрядку, господа!
Холодная война —
Как бабка с климаксом была,
Одни послания из чека!
Ох, русская, сорокоградусная,
Бутыль выпьешь — все кружится!
Спасибо Борьке Ельцину,

Пустил немецкий капитал,
Будить арбатский наш квартал!
А за звонкую монету
Не услышишь слова «нету»!
Ох, пшеничная, сорокоградусная,
Волочить господ домой
Нам предвидится!

Как истинно русский человек, который занят очень даже серьезным делом и которому вдруг беспардонно создали помехи, И.И. лихо, с достоинством, но учтиво выругался, что-то вроде: «Ох! И ломотушки соседки-красавки устраивают!» — и совсем твердо решил повторить эти свои давешние *главные* занятия. Тут Исидор Исидорович ловко поймал себя на мысли, что это он просто сам повод сочинил, чтобы еще раз это *самое главное* повторить, и от этой смелой хитринки с полной душой усмехнулся, цокая по-своему язычком. Исидор Исидорович расторопно все это *самое главное* заново проделал и с чувством, очень привороженно, совершенно счастливо закрыл глазки. Это был кремлевский кайф (выражение самого И.И.)! Он дольше обычного, с повышенным благодушеством почесал свои пяточки, а потом еще и затылок, слаще, чем прежде, осклабился, тверже обычного почувствовал сухость во рту, спешнее, чем в прошлый раз, бросил на язычок конфетку «Рябинушка», приятнее обычного облизнулся, еще тише, чем прежде, прошелся по комнатке, ранее обычного буркнул себе под нос: «Ох! Хорош, герой!» — и уже совершенно вовремя услышал требовательный двойной звонок. «За работу!» — как-то решительно, мобилизовывая себя, сказал он и с выражением хронической настороженности беззвучно понесся к двери.

На пороге он встретил господина Черногорова и незнакомую молодую женщину. «Ой, какие гости! Не верю своим глазам! Сам милейший Иван Григорьевич пожаловал! Послал Бог старику счастье! Давненько вас не видывал. Прошу любезнейше, проходите в гостиную». Гости молча вошли в комнатку. «С вами всегда такие очаровательные секретари, — с душой сказал он. — Как, милейший, ваши дела, здоровье? По делу пожаловали или поболтать с Исидор Исидорычем? Самовар готов, налить чаю?» — «Спасибо, очень кстати. Мы к вам по делу, любезный!» — «Присаживайтесь, господа! Я весь — внимание». Быстрыми, отточенными жестами И.И. собрал на стол сахарницу, конфетницу, чашечки, набор чайных пакетиков, вазочку с вишневым вареньем, а в самый центр столика поставил самовар. «Прошу откушать чаю! Вы, дамочка, попробуйте клубничного, аромат — бесподобный». — «Любезный, какой ассортимент предлагает клиентам ваш Торговый дом? Мне для гуманитарных целей очень желательно сделать покупку». — «Для таких клиентов наши амбары полны. Товар на любой вкус, самого высокого качества, из всех стран мира. Какие желания у общества? Чем желаете погреть душу?» — «Я для друзей ищу классику». — «Наш русский народ только о друзьях и думает. Из классики могу предложить: антиквариат пятидесятых годов — чистейший из благороднейших, натуральный двухпроцентный морфин в ампулах, похожий на бриллиант чистой воды с характеристикой один—один. Это аристократ времен Александра II. Изысканные манеры завсегдатаев Зимнего! Внутренний подъем сил умиротворенного сердца! Душевный порыв кадета к своей первой красавице! Только для вас — по цене сто долларов за ампулку. Имеется морфин в порошке с той самой драгоценной желтизной, времен брежневского разгула разума. Он похож на влюбленную девственницу перед брачной ночью. Огонь в душе пылает неустанно, как вечный камин Фудзиямы! Как маяк на мысе Горн! Как топка паровоза транссибирского экспресса! Цена, милейшие мои, — пятьсот долларов за грамм. Такого товара нет в Москве ни у кого. Личные запасы Исидора Исидоровича. Есть опий в таблетках для орального приема и в порошке для внутривенного. По силе влияния на душу он равен пяти томам Достоевского! И Раскольников, и Иван Карамазов, и князь Мышкин со своими страстями — пшик! Воспаляет разум, как взятие Бастилии, как теорема Ферма, как загадка исчезновения Атлантиды, как феномен Сталина! Из специальных кремлевских складов! Не просто хороший товар — божественное творение! Один грамм святого порошка — тысяча долларов! Могу предложить вам неоклассику колумбийского производства. Kapo de tutti kapi — босс всех боссов! Исполин всех гигантов! Вулкан всех вулканов! Кох-и-Нор — гора света! Вершина блаженства разума! Кант! Гегель! Толстой! Сальвадор Дали! Голливуд! Героин! По-московски — герыч, по-питерски — Григорий Григорьевич, по-ростовски — Геронтий! Чистота самой высшей категории, как слово Божье! Как страницы Библии! Как радость взаимности влюбленных! Как снежные вершины Эвереста! Цена — две с половиной тысячи долларов за грамм. Непальский, вьетнамский, тайландский дешевле! Могу предложить на самый разный вкус и запах кокаин. О, этот великий волшебник перевоплощения! Эта приставучая материя свободы! Энергетик вечности! Повелитель души! Приказчик сердца! Дорожка с лимонным вкусом — полторы тысячи долларов. С вишневым и яблочным запахом — на сто долларов дешевле. Есть химия — мексиканский ЛСД, как говорится, почтовые марочки, и узбекский валенок — ментоловый купаж, — дешевые, как окорочка Буша. Могу побаловать легендарным винтом, по силе воздействия равным атомной электростанции, пролетарской революции, цунами-52, обрушившемся на Японию! Пакетик — триста долларов! В продаже имеется индийский метадон. Признаюсь только вам, уважаемый господин Ч., метадон — самое омерзительное вещество, созданное человеческим разумом. Это антимир! Дьявольская клетка! Чертов карцер! Паутина колдунов! Извращенное самоубийство! Порок всех грехов человеческих! Страшнее водородного, нейтронного, объемного, биологического оружия! Этот полнейший мрак, конец жизни, мира, конец человека — предлагаю бесплатно! В моем меню вы можете встретить и легчайшие формы душевного эликсира — марихуану. Могу предложить кашкарский узелок — упоительную песню памирских заоблачных лугов. Две короткие затяжки унесут вас на ковре-самолете в райские кущи, к вечной земной радости, к фантазиям сладчайших сновидений, к образам любви и умиротворенности. Чуйский косячок — самое высшее качество из всех известнейших сортов демонической травки. Это как "роллс-ройс" среди автомобилей, как золото среди металлов, как Интернет в сравнении с голубиной почтой! Это жемчуг, нотная тетрадь Чайковского, подводная лодка капитана Немо, космический корабль Леонова! Один баш на три мастырки — 100 долларов! Чуйские косячки рекомендую забивать в пожелтевшие страницы газеты "Правда". Действие во сто крат усиливается! Такую экзотику теперь найти трудно, я же свой товар предлагаю в комплексе, в сервисном пакете! Что вам пришлось по душе?» — «Спасибо, любезный, за такую поэтическую презентацию. Скажите, пожалуйста, почему метадон вы отпускаете бесплатно? Синдром каритаса?» — «Мастер добродетели никогда не понятен окружающим. Уважаемый Иван Григорьевич! Вы, молодая женщина, тоже внимательно слушайте, а потом выскажете свое мнение. Против ломки есть только один препарат — проледоксимойодит. Дорогущая необходимость. Одна ампула стоит от трех тысяч долларов. Не так много найдется моих клиентов, способных заплатить такие огромные суммы. Одной ампулы порой бывает недостаточно. Психика зависимого организма требует две-три! Этому лекарству есть альтернатива — метадон. Его цена — 100 долларов за пакет! Метадон помогает ломающимся, страждующим во время отсутствия наркотиков. Он снимает ломки. Ломки же для человека смертельны: очень часто сердце не выдерживает мук! Но есть одна пограничная ситуация. Во время ломок две-три инъекции метадона снимают зависимость от наркотиков. Тут, как говорится, слез с горбатого и гуляй, Вася, свободным. Но многие с одной отравы пристраиваются к другой, более смертельной заразе. Если переборщишь, уколешься метадоном не два-три раза, чтобы бросить, а пять-шесть, — метадон, демон лукавый, притягивает сладостью чувств и — все, конец, беда! Заказывай гроб! Больше года не протянешь. Спасения от метадона нет! Нет в природе препарата, способного снять метадоновую ломку! Книжники, описывающие муки ада, списывали их со страданий ломающегося от метадона. Поэтому, когда к И.И. приходят коллеги с метадоновым запросом, я всегда спрашиваю: "Для чего ты, уважаемый, о нем спрашиваешь?

Хочешь поломаться и слезть с наркоты? Пожалуйста, одна ампула бесплатно! Я на тебе достаточно заработал, чтобы помочь в трудный час. Но если ты сел на метадон, то я им не торгую. Иди к Яшару, к Кер-оглы, к Малышу, к Усику. Ко мне дорога закрыта!" Вот почему я даю одну ампулу метадона бесплатно. Что скажете?» — «Голова идет кругом!» — сказала Хилкова. Она совершенно не желала вторгаться в этот чужой, опасный мир, поэтому никак не хотела продолжать свой комментарий. Катерина Васильевна прижалась к Черногорову. Ее тяжелое уныние боролось с остротой смешанных чувств. «Мне нужен ваш совет. Я оцениваю его в пятьсот долларов!» — «Ого! Вы, уважаемый Иван Григорьевич, пожалуйста, говорите тише. У меня же соседи!» — «О'кей!» Господин Ч. отсчитал хозяину комнаты пятьсот долларов и продолжал: «Лежит в московском госпитале молодой солдат Николай Литеров. Фронтовик, с чеченской войны. У него ампутированы обе ноги и одна рука. Денно и нощно он просит наркотики. Вконец измучил свою бабушку, весь персонал госпиталя. Требует морфин. Я обещал старушке помочь. Что вы, любезный, посоветуете?» — «Да, война тяжелая вещь! После войны число наркоманов увеличивается в сотни, тысячи раз. Что душманы в Афгане, то и боевики в Чечне: подбрасывают нашим солдатам огромное количество самой разной наркоты. Она стала биологическим оружием, скашивает российскую молодежь. На войне бесплатно, после дембеля — плати им немереные денежки да могилки себе рой!» — «Так вы что, против наркотиков?» — «Как против, я же негоциант! Вы же не затеете дискуссию с гробовщиком о порочной закономерности смерти? Не начнете бранить Господа, что жизнь человеческая нескладна, коротка и несправедлива? У профессионалов всегда есть гражданская позиция, этика мастера. Мне нравится обслуживать любителей! Восторженных приверженцев, увлеченных последователей. В таком сервисе много поэтики! Когда мужчина раз-два в месяц перемещается из одного измерения в другое — в этом нет ничего порочного или достойного осуждения. Я чрезвычайно не приемлю законченных наркоманов, я их не обслуживаю, двери моего жилища для них закрыты. Они и адреса моего не знают. Мой клиент — эстет! Уважающий меру. Любящий себя, своих близких, род человеческий. Мои наркотические рецепты украшают свадьбы, огорчают поминки, услащают поцелуи, воспаляют мозги поэтам и музыкантам! Исидор Исидорович — артист, философ, а не, прошу прощения, барыга, торгующий белым дьяволом. Посмотрите на круг моего общения: крупные финансовые воротилы, чиновники кремлевского уровня, депутаты и сенаторы, певцы и народные артисты. Но вернемся к вашему протеже. Я должен проинтервьюировать его. Без знания его собственной позиции трудно дать вам перспективный совет. Я буду у него сегодня же! Но если он видит себя только наркоманом, я советую вам спонсировать ему какой-то объем выбранного им препарата и забыть его. Я наркоман с тридцатилетним стажем, пусть никто при мне не скажет, что завязать с этим делом невозможно. Через меня прошли тысячи. Кто внутри себя хотел бросить — у тех получилось!» — «Я оставлю вам три тысячи долларов на спонсорскую покупку вашего товара для инвалида Литерова. Ассортимент выберите, пожалуйста, сами и доставьте в госпиталь Бурденко. О'кей?» — «Согласен. Вы меня знаете, у меня ничего не пропадет. Милейший, неужели вы откажитесь от чуйского косячка? Угощаю!» — «Кальян?» — «У меня наргиле!» — «С длинным рукавом?» — «Да, он мягче! Дымок обволакивает тебя, как майский ветерок, наполненный ароматом Чуйской долины».

Черногорову достаточно было нескольких секунд, чтобы почувствовать магическую тайну дьявольской травки. Его воспаленную фантазию начали наполнять образы Эдема. Он стал парить в медовом пространстве, и его счастливые мысли в причудливых образах рисовали перед ним картину вечной благодати, божественной радости. Сердцем он понимал, что витает в небесах благодаря азиатскому колдовству, но душа была неподвластна сердечной трезвости и требовала дальнейшего полета. Господин Черногоров затянулся еще раз — все материальные вещи поплыли у него перед глазами, как на картинах Шагала, как на орбитальной станции «Мир». Радость свободного парения вызвала неописуемый восторг. С чувством великого удовольствия он истолковывал все виденное и искал в этих картинах и образах, в веренице парящих предметов и лиц какое-то предназначенное для него знамение. Наконец душа прислушалась к возмущению сердца. Это был первый симптом пробуждения. От смущения его бросило в краску. Он как-то болезненно сознавал свою полную беспомощность перед наргиле и чуйскими чарами. А оболочка сохранности непорочной души потребовала мщения. Иван Григорьевич, все еще находясь в тумане чуйских перевоплощений, поднялся. Хилкова смотрела на него с тревожным чувством, ей хотелось чем-то помочь ему. Но она совершенно не понимала, что ей нужно было сделать. «Да, любезный! Сильна ваша травка. Спасибо за угощение. Полетал я тут у вас... Мы обо всем с вами договорились и сейчас будем откланиваться. Спасибо еще раз». — «На прощанье хочу сказать вам одну правду. Вы, видимо, знаете, — конечно, знаете, какими семимильными шагами растет в России потребление наркотиков. Одну причину я назвал: биологическая атака афганских и чеченских боевиков. Но другую, более порочную, вы тоже должны знать — Горбачев! Именно этот полуграмотный мужик в 86-м году со всей своей пролетарской глупостью ударил по водке. Водка для россиян не просто напиток, это — стихия, философия жизни. Национальный стержень! Ой, трагический был для граждан нашего

Отечества этот шаг. Он бросил миллионы мужиков к маку, к опию ...» — «О'кей, любезный. Нам пора». Иван Черногоров и Хилкова распрощались с Исидором Исидоровичем и вышли из его комнатки.

Было 18.55. На Москву опустилась мгла. Холодный ветер доносил последнее дыхание зимы. Март заканчивался. «Оригинальный тип человеческий», — как бы самому себе сказал Иван Черногоров. «Я с такими еще никогда не встречалась», — вставила Хилкова. «Обсудим план вечера. До конца выборов остался один час. Я хотел бы проголосовать. Мой избирательный участок находится рядом с гостиницей "Белград". Ты голосовать будешь?» — «Как прикажешь, шеф! За кого отдать голос?» — «Я лично из всех кандидатов предпочитаю Путина. Ты думай сама». — «Я — как ты!» — «Тогда бери джип и езжай на участок. Встретимся в 20.00 в "Пабе" на Кутузовском. У меня есть одна идея касательно тебя. Обсудим ее в баре. Потом поужинаем в "Бисквите". Позвони на квартиру и передай Молчановой, что в 21.45 перед домом ее будет ждать автомобиль. Пусть тоже едет в "Бисквит". — «Зачем она тебе нужна, Ванечка?» — Катерина Васильевна целовала его руки. «Выполняйте, княжна. Я жду вас в "Пабе"». Черногоров заторопился к «Бентли».

К «Пабу» Черногоров приехал первым. Он отыскал безлюдное местечко и занял столик. «Пожалуйста, джин с тоником», — сказал он бармену. За целый длинный день он впервые остался один. У него была настоятельная необходимость посоветоваться с самим собой, поразмышлять над событиями последних двух дней. Сегодня вечером он возьмет душу Катерины Хилковой. Ему надо было обстоятельно спланировать реализацию этой своей главнейшей идеи — полного покорения души ближнего. Как от взмахов кадила храм наполняется ароматом ладаном, так сердце господина Черногорова от приближающегося великого акта приобретения сияющей, непорочной души молодой и красивой московской женщины заполнялось великой благодатью. Нет! Не помещиком живых душ хотел быть господин Черногоров! И не собирателем, коллекционером этой тончайшей субстанции. Обладание душой человеческой необходимо было ему для утверждения себя в добродетели, для познания единственного, господствующего источника Божественной тайны — спасения! В этом волнительном ожидании его всегда охватывали самые трепетные чувства, схожие с беспредельной радостью мессианского пира. Для него сейчас не существовало ничего, кроме предвкушения предстоящей победы. Но она была лишь частицей, фрагментиком другой главнейшей, навязчивой, преследующей его идеи собственного предназначенья — поиска пути для нравственного оздоровления Отечества.

Во власти целомудренного блаженства без оглядки на окружающих он находился несколько долгих минут. Поток его мечтательных наваждений прервал охранник. Передавая ему телефон, он низким голосом сказал: «Молчанова. Просит вас». Господин Ч., еще минуту назад чрезвычайно гордый и довольный собой, словно очнулся. Сателлит заметил его недовольную гримасу и быстро отошел к выходу. «Черногоров!» — сухо, в офисном стиле сказал он. «Добрый вечер. А я жду вас! Когда вы будете?» — «Вам не звонила Катерина Васильевна?» — «Нет! А почему она должна мне звонить? Я жду вас!» — «В 21.45 вас у подъезда будет ждать автомобиль. Он доставит вас в "Бисквит". Мы ужинаем вместе». — «А что мне надеть?» — «Выберите сами, голубушка! До встречи! Пока!»

Мрачная тень набежала на его сознание и ввергла душу в смятение. Он уже каким-то странным, необъяснимым образом был абсолютно убежден, что Маша Молчанова, эта русская красотка, оказалась существом бездушным. По каким критериям пришел господин Черногоров к своему выводу, было совсем непонятно. Но он промахнулся, поэтому был недоволен собой. Такое с ним случилось второй или третий раз. Можно было доверять искушенному в этих делах и вопросах господину Ч., который ставил сотни, тысячи диагнозов о существовании и объемах душ человеческих. Если, по его мнению, души не было, он ничем другим не интересовался, а красота и изумительное девичье тело были для него не более чем абсолютной пустышкой, не имеющей содержания и смысла. В человеке его влекла только душа, ее безграничные возможности в реализации черногоровского плана. В его великой игре! В сценарии его национальной идеи! Разумом он понимал, что в эксперименте с Молчановой было что-то незавершенное, может быть, даже несправедливое, но особое черногоровское чувство уже напрочь отвергало молодую даму. Острая зависимость сменилась полным разочарованием. А умерщвленный человеческий интерес приводит к самооправданию. Таковы превратности судьбы. От глубокой обиды ему показалось, что его душа стала надуваться, как щеки растерянной девственницы перед искушением страстью. Беспокойство застыло в бесовском взгляде черных глаз Ивана Григорьевича. Он особенным образом взглянул на сателлита. Тот бросился к нему, чтобы взять телефон. В мозгу господина Ч., воспаленном энергией джина, вдруг родилась идея передать Молчанову кому-нибудь другому, кого человеческая душа интересует в последнюю очередь. Идея ему так понравилась, что он воспламенился ею, словно паломник перед святилищем. Казалось бы, незатейливая мысль, а сколько приятных ощущений вызвала она в его душе! Господин Черногоров вновь взглянул на охранника. Тот опять подбежал к нему с телефоном. «Дружище! Позвони в "БМВ". Передай молодцам, чтобы Молчанову доставили в "Максим". В то же время, но в "Максим"!»

В этот момент в «Паб» вошла Катерина Хилкова. Она сразу встретилась с ним взглядом, широко улыбнулась и направилась к его столику. Все мужчины бара смотрели ей вслед. Было в ней нечто завораживающее, рождавшее напряженный мужской интерес. «Я не опоздала?» — «Вы пришли раньше, чем я рассчитывал». — «Что с вами, шеф? Я не мешаю?» Он хотел понять собственную придирчивость. Подумав, что тем самым, видимо, сдерживает предстоящую эйфорию, как-то по-детски громко усмехнулся и, словно воодушевленный порывом ветра юнга на паруснике, дал себе полный вперед. «Что хотите выпить?» — всматриваясь в ее обеспокоенные черные глаза, спросил Черногоров. «А вы что пьете?» — «Я — джин-тоник!» — «Я тоже буду джин-тоник!» — «Пожалуйста, еще один джин-тоник!» Она взяла его руку, поднесла к своим чувственным губам и покрыла поцелуями: «Я слушаю тебя, шеф!»

Этот гипнотический монолог, свое волшебное признание он всегда начинал по-разному. Все зависело от состояния его души, времени дня, места пребывания. Почему-то сегодня вечером в баре «Паб» он начал атаку на душу княжны Катерины Хилковой с самых дальних, казалось бы, не относящихся к теме, историй и истин. Таким не совсем обычным человеком был господин Черногоров! «Бог создал человека из праха земного, чтобы тот не гордился, чтобы всегда помнил, откуда он! Адам в переводе на русский язык означает "красная глина". В этом изначальном имени много символического. Создатель буквально лепил человека по своему подобию. Он конструировал нечто новое, в корне отличное от всего ранее сотворенного. До появления человека в природе была истинная гармония. Фауна и флора, земля и небо, звезды, галактики, атомы и нейтроны — все двигалось, управлялось по его версии, по его изначальной мысли, по его чертежам во веки веков.

Из пяти миллиардов лет существования нашей Солнечной системы человек живет в ней не более 10 миллионов! Это лишь 0,2 процента от всего времени существования Земли. И столько изменений! И такое вероломное вмешательство в творение Создателя! Такие разрушительные последствия! Накопление зла! Грехопадение! Отступничество от первоначальной идеи! Я чрезвычайно глубоко озабочен происходящими процессами, и мысли, связанные с этими переживаниями, гложут меня, как грешника перед исповедью. Душа человеческая — вот корень зла всего земного, вот главный виновник дисгармонии природы, войны между Божественным и демоническим. До появления человека, то есть души человеческой, на земле следы демона на ней не обнаруживаются. Какое великое, роковое совпадение: человек и дьявол появились на планете одновременно! Какая-то трагическая закономерность. Не было ли это подсказкой черта — сотворить Homo Sapiens?! И не сам ли Бог слукавил, смастерив нас одновременно?! Как загонщика и преследуемого! Как полицейского и вора! Ведь для сатаны весь смысл заключается в покорении души человеческой, ему как бы больше ничего и не надо. Обуздания разума, сердца он не ищет, ему только душу подавай! Особенно русскую. О, любит сатана наши загадочные души! Поэтому и поселился у нас в России. Немецкая, американская, японская — ему совершенно не нужны. Что он с ними придумает? Что, он сможет немца, француза, американца раскрутить на сумасбродство? На безумие, на ошалелость? На демоническую страсть, бесконечные фантазии обреченного? На пьяные ночи, годы бахусного существования? На бесплатную любовь, на эрос бессребреников? Нет! Никогда! Там, на Западе, у него это не получится! Дорого обойдется! Расход времени совсем другой. Ее, западную душу, еще найти надо. Порыться среди миллионов синьоров, бюргеров, мистеров, мусью — а потом еще ломать ее, хитрости лукавые сочинять! Зачем все эти трудности? У нас в России бери любую душу — и твори с ней все, что тебе, сатане, угодно! Все готовы демону продаться. За пустяк: улыбку, доброе слово, за сказку, миф, пряник. Вот немец Кант когда-то сказал: «Больше всего меня заставляют верить в Бога две вещи: звездное небо над головой и нравственный закон во мне!» Но о радости — ни слова! На фантастическую душу человеческую и намека нет! О беспокойных играх ума и не обмолвился! А это ж все от Бога! Вот в таких, спокойных образах нарисовали немцы картину вечного бытия. И живут себе спокойно, без дьявольского вмешательства, без сатанических перевоплощений. Русский скажет: скучно! Они ответят: добротно. Каждый день — сосиски, свинина и пиво. А мы? День гуляем — год в кандалах или с пустым желудком на печке. Таинственная русская душа все чаще приводит нас к судьбоносным ошибкам. После 17-го революционного года мы все мечемся, ищем правду, не прочь у демона спросить, как жить-то нам дальше! К истокам своим никак не причалим! Иоанн Богослов пришел как-то в баню, но, узнав, что там моется известный еретик, поспешил удалиться. Этот пример показывает, как надо дорожить своим целомудрием, чтобы не осквернить чистоту душевных и плотских помыслов. Только дьявольскими ухищрениями можно объяснить присущую нам, русским, способность в глубоком грехопадении искать Божественное. В этом смысле мы находимся в полном земном и космическом одиночестве. Мы — изгои! Сумрачное пространство нашей таинственной души опасно для Бога и человечества».

В этот момент господин Ч. услышал голос Фредди Меркури. Замечательная песня «Show must go on» прервала его монолог. «Минутку, Катя. Послушаем великолепную песню».

Иван Григорьевич продолжал: «Моя собственная сверхзадача, жизненное кредо

— шаг за шагом, от человека к человеку, от часа к часу возвращать русский дух XIX века. Однажды родившись в сомнениях и мечтаниях, эта мысль закрепилась в моем сознании на всю жизнь, она преследует меня неотступно. У меня нет другого смысла жизни, как изгнать беса из души моей нации. Поставить заслон князю лукавому на русской земле! Но я не могу опираться на пустоту. Слишком опасным был бы такой доверчивый обман. Мне нужны сподвижники. Души новых русских. Я ищу великий дух предков как фундамент нового начала... Понимаете, Катенька, мне часто приходится общаться с европейцами, гражданами других стран. В их обществе я чувствую себя униженным. Оскорбленным! Всякий раз я все больше и глубже убеждаюсь, что мы, русские, чаще всех других подвержены дьявольскому нашествию, демоническим поступкам и образу жизни. Мы всегда готовы к благородным свершениям, но одновременно в счастливой радости совершаем грехи, способные соперничать с шагами дьявола. Мы потеряли стержень, мы забыли Бога — поэтому у нас от святости до грехопадения всего один шаг! Мы готовы к богоугодному делу так же вдохновенно, как и к сатанинскому поступку. Вся наша нация больна, мы страшимся самих себя... Уже несколько лет я собираю души. Я окружаю себя людьми, способными вместе со мной противостоять князю лукавому. Для этих целей мне необходима ваша душа. Дайте мне ее! Положите ее на алтарь Отечества! Помогите россиянам избавиться от дьявола! От его блудливой морали, от его перевоплощений и мистификаций! Давайте приучать наших соотечественников к святости, к морали наших прадедов. "Я русский!" — опять должно звучать гордо для каждого, в его собственной душе и сознании, в городах и столицах Европы, в мегаполисах и деревушках мира! Для этого нам необходимо очиститься, организовать катарсис всея Руси, второе национальное крещение! Еще раз принять христианство. Пусть это будет 2005 год, день Рождества Иоанна Крестителя, в народе Ивана Купалы. Или взять из синодальной рукописи дату крещения князя Владимира со своим народом в Днепре — 1 августа. Всех, кто желает жить по Святому писанию, — к причастию, к слову Божьему, к поступкам и славе прадедов! Согласны ли вы дать мне душу для такого великого дела?»

Как Бог привлекает к себе чистотой помысла, а дьявол — искушает сладостью комфорта, так и Черногоров опутал Катерину Васильевну нитями патриотических чувств.

Возможность осуществлять богоугодные дела наполнила сердце Хилковой музыкой гармонии. «Да, да! Я согласна!» — шепотом, почти заговорщицки, целуя его воспаленное лицо, сказала она. С этой минуты господин Черногоров получил полную власть над душой Катерины Хилковой!

Подобно тому, как он стремился подчинить себе, своей философской страсти ее волю, она с великой радостью желала отдаться ему в полный, бесповоротный плен. Их желания встретились, как глубочайшая вера и захватывающая интрига! Он сумел разглядеть в ней инструмент будущего успеха, она в нем — опору жизни. Между ними возник симбиоз, объединяющий партнеров по заговору. С этой минуты они стали единым целым, звеньями одной цепи.

Бармен взглянул на них с раздражением слушателя Баха, унесенного органной музыкой в высшие миры, которому вдруг беспардонно создали помехи. Он нахмурил подведенные синим брови и приложил указательный палец с черным маникюром к обрисованным татуажем губам. Господин Черногоров и Хилкова на радостях громко и раскованно расхохотались. Чтобы в момент своего высшего наслаждения — покорения души человека — не испытывать дискомфорт, Иван Григорьевич протянул бармену двадцать долларов. «Пожалуйста, старина, не будь таким придирой. Этот паб хоть и английский, но на московской земле». Зеленая бумажка исцелила высокого парня с женскими манерами. Он поцеловал ассигнацию, поклонился, по-клоунски описал пируэт и, покачивая бедрами, удалился к стойке.

«Что я должна конкретно делать, Ванечка? Ты меня очень заинтересовал, — она смотрела на него с изумлением. — Это путешествие в идею меня, столбовую дворянку, взволновало до глубины души, но как бы оно не закончилось безрезультатно. Когда много ожиданий и высокие цели, финал может быть бесплодным. А красота идеи и влечение дела не терпят пустоты. Смирение и покорность — в крови нашего народа. Тысячелетие крепостного права оставило глубокий след в генах. Я не сильна в теологии, но, как я поняла, бес — это тоже Божественное чудо, откровение, созданное Богом для развития души человека, для игр его страсти, фантазий его ума! Что тогда цивилизация — продукт Божественного или дьявольского?» — Катерина Васильевна тревожно побледнела и боязливо прищурилась. Она вдруг растеряла свою убежденность, потому что была уже влюблена. Княжна Хилкова вновь взяла его руки и покрыла их поцелуями: «Ванечка, помоги мне быть тебе полезной!» — в это мгновение ее душа распахнулась полностью.

Высокомерный восторг почувствовал господин Ч.

«Не обо мне — о нашем народе идет речь, княжна! Только собственной убежденностью и исполинским духом истины ты сможешь служить этому делу!» — «А ты... где будет господин Черногоров, пока его пленница души человеческие очаровывать станет? Призывать соотечественников ко второму крещению, вещать сбор в 2005-м? Я же влюбилась в тебя, Ванюшка!» — «Катерина Васильевна! Прошу вас без иронической лексики. Все личное я перенес бы за намеченный рубикон — день Иоанна Крестителя». — «Так что, ты меня выселять из своих покоев будешь? Прервешь первый договор, заключишь второй?» — «Ты можешь жить где угодно! Я назначу тебе содержание; машина, шофер, престижная работа — у тебя будет все, чтобы эффективно выполнять наше общее святое дело. Раньше цари приглашали немцев, французов, голландцев, итальянцев в Россию. Преуспели в этом деле немцы: в Малороссии, на Кавказе, Волге, Урале, в Сибири тысячами они компактно, целыми поселениями, проживали на наших землях. Их освобождали от налогов, призыва в армию, других гражданских повинностей. И все это во имя одной идеи — окультурить российское земледелие! Передать европейские навыки нашему крестьянству, деловым людям, ремесленникам, помочь им освободиться от бесов! Искушения дьяволом! Гете желал немцам диаспоры: "Немцы должны быть разбросаны, рассеяны по всему свету, чтобы на благо остальным народам раскрылось все то хорошее, что в них заложено". Русские цари

понимали эту особенность немецкой нации!
Я хочу осовременить замыслы дома Романовых. Я хочу находить, отыскивать, приглашать лучших русских людей, чтобы начать очищение, душевное оздоровление нации. Чтобы "на благо остальным соотечественникам раскрывалось все то хорошее, что в русском заложено", чтобы освободиться от скверны, внесенной в гены россиян дьявольским большевизмом. Заказал я давеча маляров для покраски дачного своего дома. Мужики как мужики: светлые лица, добрые глаза, застенчивые улыбки. Ставлю задачу: покрасить комнаты в песочный цвет, а карнизы и потолок — в белый! Составили калькуляцию — краска, работа, питание, транспорт, качество. Все учли! Я щедро рассчитался с малярами. Проходит неделя. Приезжаю в условленное время работу принимать. Смотрю и не могу поверить: одна комната выкрашена в синий цвет, а потолок и карнизы — в желтый; другая — в розовый, потолок и карнизы — в красный; третья — в

оливковый, а потолок — в голубой. "Что это такое?" — спрашиваю. "Так лучше смотрится!" — говорит бригадир. Другие поддакивают: "Здорово, хозяин, получилось!" — "Я же дал вам задание выкрасить комнаты в песочный и белый цвета!" — "Но так же лучше!" — стоит на своем маляр-бригадир. "Для кого лучше?" — "Для всех хорошо!" — "Не понимаю я вас, мужики. Меня не интересует, что для всех это лучше. Меня интересует собственное восприятие!" — "Не серчай, — говорит мне их старший, — нас бес попутал. К твоему дому как к собственному отнеслись. Бес-то — он лукавый!" Или другой случай, буквально два-три дня назад. Заехал я в С-банк. Даю поручение на сто тысяч долларов приобрести акции "Лукойла". Через пару часов звонит мне брокер: "Григорьевич, с вас бутылка! Купил вам акции "Транснефти." — "Лукойла", — поправляю я его. "Чего ж "Лукойла" — "Транснефти"!" — "Так я поручение дал акции "Лукойла" приобрести". — "Транснефти" — они более ликвидные". — "Это мои проблемы", — говорю я брокеру. "Ну, Григорьич, извини, меня бес попутал!" И таких примеров в нашем российском быту тьма-тьмущая — от парикмахеров, которые вместо твоего заказа постричь "под Пресли" стригут тебя в "полубокс", до строителей, которые на глухой стене ставят балконы. В Германии, например, такое невозможно! В страшном сне немцу такое не приснится. Томас Манн писал: "Где высокомерие интеллекта сочетается с душевной несвободой, там появляется черт!" Говорю я вам, княжна, бес вольготно обосновался в России и путает наших соотечественников. Во многом — от смешного до абсурдного, от малого до вечного — видна игра его сатанинская!» — «Но вы меня мало знаете, может, я сама чертовка какая-то! Вот вчера вечером продалась вам в наложницы. Не от беса ли это? Какие бы цели человек ни преследовал, но продать себя, свое тело, сердце за протез отцу — богоугодное ли это дело? Ванечка! Почему вы согласились купить меня? Не остановили княжну, не наставили на путь истины?» — «Апостол Павел в своем Послании к Галатам писал: "Но если бы даже мы или Ангел с неба стал благовествовать вам не то, что мы благовествовали вам, да будет анафема. Как прежде мы сказали, так и теперь еще говорю: кто благовествует вам не то, что вы приняли, да будет анафема". Слово Божье учит нас: "Посему, как одним человеком грех вошел в мир, и грехом смерть, так и смерть перешла во всех человеков, потому что в нем все согрешили". Да, мы действительно все умерли в Адаме, но нам, по милости Божьей, надлежит воскреснуть во Христе! Я не хочу, чтобы мы с вами уподобились Понтию Пилату, который воскликнул на суде: "Что есть истина?" — но, не дождавшись ответа Иисуса, оставил судилище. Путь к истине, Катерина Васильевна, необходимо искать в Святом писании! Мы разучились слышать Его, внимать Ему! Все от князя лукавого пошло». — «Черногоров, а в нас тоже сидит бес? Во мне так точно, а в тебе, Иван Григорьевич?» — «Почти каждого русского сегодня увлек в свой мир дьявол. Во мне бес еще сидит. Пытаюсь изгнать его. Вот уже, кажется, выгнал — нет, он опять тут как тут! В делах и помыслах! Его влияние уменьшилось, но окончательно прогнать я его еще не смог. В Евангелии об этом говорится так: "И сказал им Господь: сей род не может выйти иначе, как от молитвы и поста"».

Подошел бармен. Поглаживая свои по-женски холеные руки, спросил: «Пить что будете?» Его татуажные губы вытянулись в улыбку, скрывающую полное безразличие к молодой красивой женщине. «Спасибо! Пока ничего не надо!» — сказал господин Ч.

«Ты уверен, шеф, что твоя идея — не погоня за призраками, не преследование миража, чего-то такого, что не существует и не может быть опознано? Расскажи, что показывает твой опыт повелителя душ человеческих, людей, вручивших тебе свои души? Мне известно, что дьявол оберегает свою касту более внимательно и нежно, чем Бог — церковную общину. Чего ты добился в воплощении своей идеи?»

Внимательный взгляд Ивана Григорьевича остановился на Хилковой. Неуемная сила доказательств воспаляла его рассудок, грозила выплеснуться наружу. Впрочем, господин Черногоров овладел собой, погасил пыл и опять начал издалека, словно чародей, медленно приоткрывающий блеск затерявшейся в густом мраке свинцовых туч звезды. «Вы когда-нибудь задумывались, что было бы, если бы Христос родился не 25 декабря, а, скажем, 3 марта, 17 мая, 23 августа, 11 октября или 30 ноября? Могло бы вообще такое произойти? По дьявольской логике, когда бы он ни родился — самая верная дата его рождения должна была бы быть объявлена только как 25 декабря. День зимнего равноденствия! Княжна, представьте себе среднего по информированности человека две тысячи лет назад. Каким аргументом в пользу христианства можно было бы покорить его языческую душу? Световой день сокращался ежедневно. Он достиг уже чуть ли не пяти часов в сутки. Создается великая иллюзия, что солнце исчезнет окончательно, наступит мрак и конец жизни. Жрецы, язычники всех мастей вымаливают у богов вернуть светило — и 25 декабря свершается чудо! Солнце останавливает свой бег от Земли и начинает возвращаться к людям. У всех народов этот день стал праздником света, самым значимым из всего календаря. Этот день становится божественным, неопровержимо доказывающим, что миром правит сила Господа. Его рука — десница владыки мироздания. Поэтому, если бы мессия появился на свет в любой день, кроме 25 декабря, людской разум не воспринял бы его как посланника Бога. Лишь дьявольское лукавство могло подсказать книжникам и церковникам наложить дату рождения Христа на Великий праздник Света. Вот почему этот день стал самым доказательным аргументом божественного происхождения мира. Началом всех начал, первым днем христианства». — «И что из этого следует?» — каким-то придавленным голосом спросила Катерина Васильевна. Ей жутко не хотелось верить, что ложь правила миром во все времена. Она была очень напугана тем, что цинизм может найти в ее сознании благодатную почву для своего развития. «Так ты уверен, что Христос родился не 25 декабря и в эту историю вмешалось бесовское лукавство?» — «Может быть! Но главное не в этом. Вы поставили передо мной вопрос: чего я добился в воплощении своей идеи? Результат пока скромный: я взял в управление души семидесяти трех человек. Они активно общаются с миром из двух тысяч, которые в свою очередь влияют на десяток тысяч, те — на свой более широкий круг знакомых... Так Черногоров семь лет назад открыл свою страницу борьбы за нравственное обновление нации. Как старые церковники лукавили и мистифицировали непросвещенный народ, так и мне приходится порой использовать бесовские приемы для покорения душ человеческих. Но корысти в моих деяниях нет. Поэтому я чувствую себя в этом проекте чрезвычайно счастливо. Я стал удачником. У меня все получается, как будто за всеми моими делами следят Небеса. Чем щедрее я раздаю деньги на богоугодные дела — тем больше я их зарабатываю. Чем внимательнее я отношусь к людским проблемам — тем шире становится моя собственная душа. Чем ласковее я говорю с соотечественниками — тем больше радостных песен в моей жизни. Национальная идея и великая цель облагораживают человека. Это мое убеждение стало нормой для моих сподвижников. Все то же, что я вам описал, испытывают все черногоровцы. Все, что характерно для меня, типично для их нового существования. Мы счастливы вдвойне, потому что замечаем, как меняется окружающий нас мир. О, какая великая радость быть счастливчиком! Это человеческое состояние вызывает зависть у ангелов, словно ты замахнулся на их приоритет быть рядом с Богом, и ненависть чертей, как будто ты посягнул на магию тьмы — без их воли научился околдовывать самого себя. Это самая дразнящая внутренняя интрига моей истории. Ее бесовские объятия делают меня сверхчеловеком». Господин Черногоров неожиданно умолк, словно спохватившись, что коснулся чего-то совершенно уж сокровенного. Наступила долгая пауза. Катерина Васильевна не сводила восторженного взгляда с растроганного лица Черногорова. Она смотрела на его сияющее счастьем лицо, пытаясь понять свое место в этом новом, незнакомом мире, куда он ее приглашал. Какой-то еще не совсем понятный, завораживающий азарт захлестывал ее женский, в меру рациональный рассудок, увлекая молодую женщину к абсолютной свободе, унаследованной от бесчисленных поколений российского столбового дворянства. В этом полете мечты к добродетели, к нравственному совершенствованию она почувствовала себя как-то особенно ликующе, словно роженица, услышавшая первый крик ребенка. Тут ей показалось, что она хочет, чрезвычайно желает участвовать в этом черногоровском проекте, и с чувством человека, опьяненного радостью, она выкрикнула на весь «Паб»: «Я с тобой, шеф!»

«Признаки явной передозировки внушения», — бесстыдно усмехнулся про себя господин Ч.

«Кстати, который теперь час? — Иван Григорьевич посмотрел на часы. Было 21.47. — Пожалуйста, счет, — бросил он бармену и, повернувшись к Хилковой, сказал: — Мы уезжаем, нас ждут другие дела».

«Максим» был в десяти минутах езды от «Паба». Московские центральные улицы в этот холодный вечер 26 марта 2000 года были пусты. Многие сидели у экранов ТВ и ждали итоги выборов. Социологические прогнозы, российские и зарубежные эксперты, СМИ убеждали публику, что господин Путин выигрывает в первом туре.

Ни Ивана Григорьевича, ни его спутницу эти проблемы сегодня вечером уже совершенно не интересовали. «Бентли» нес их в один из роскошных ресторанов столицы на Манежной площади. Там у них должна была состояться встреча с Машей Молчановой, русской красавицей. Господин Ч. имел свой нехитрый план, как избавиться от этой юной эротической игрушки. В ее душе не оказалось ничего, что могло бы заинтересовать Черногорова. Она была мертва. В то время как сердце Молчановой для него открылось, его душа захлопнула свои ставни. Но это было не поражение, это был уход с поля боя из-за отсутствия предмета и цели поединка. Он по-детски, как счастливчик, радовался предстоящему расставанию со вчера еще обожаемым объектом. Лишь невероятная сила души давала ему решимость отказаться от такого лакомого кусочка, каким была Машенька Молчанова. Господину Ч. можно было верить — он действительно боролся в своей душе с дьяволом. Потому что в воспоминания об ухищрениях, попытках подчинить душу Молчановой то и дело беспардонно врывались фрагменты демонических искушений и эротических гимнов. Черногоров решил однозначно: этот контакт надо завершать! Здесь он был и грозным обвинителем, и свидетелем защиты — типичная российская раздвоенность, характерная для уходящего столетия.

Катерина Хилкова тоже ждала встречи с Молчановой. Она еще видела в ней соперницу, сильную конкурентку. Внешняя красота женщины не только способна расстроить мужскую психику — не менее больно она бьет по женскому самолюбию. Катерина Васильевна приготовила даже несколько колких пассажей, чтобы поставить на место провинциальную выскочку. Она знала, как и чем бить наверняка. Ох уж эти женщины! Книжники и старые церковники считали, что в них слишком много от дьявола. Дискуссионное предположение!

Бордовые бархатные гардины, мебель, обтянутая такой же тканью, в сочетании с невыразительным светом ресторана, строгими лицами официантов и каменных изваяний, расставленных по залу, гнетуще повлияли на княжну Хилкову. Ее настроение душевного подъема сменилось подавленностью и тоской. Их молча встретили двое немолодых, похожих друг на друга пролысинами и горбатыми носами менеджеров, одетых в черные костюмы с шелковыми лампасами и большими белыми бантами, вываливающимися из верхних карманчиков. Они провели их к столику, сервированному на три персоны. Молчановой еще не было. Господин Черногоров сразу заказал бутылку «Помероль» 1991 года. Столики были почти все заняты. За ними сидели какие-то сверхсерьезные люди. В ресторане стояла полная тишина, нарушаемая лишь приглушенным стуком одиноких сервировочных приборов. Было такое ощущение, что все чего-то особенного, сверхсекретного ждали.

Иван Григорьевич тоже молчал. Он отпил вина и осмотрелся. Несколько раз он невысоко поднимал руку, приветствуя слабо освещенные угрюмые лица. Здесь была богатейшая публика, а деньги, как известно, очень любят тишину.

Новизна ощущений вызвала у Катерины Хилковой тревожные чувства. Она впервые оказалась среди могущественных мира сего. Ей не хватало воздуха, чтобы разобраться со своими чувствами: желала ли она провести в этом чопорном заведении остаток вечера, или лучше было бежать отсюда? Молчаливость и замкнутость господина Черногорова усиливали ее нервозность. Внутри все сжималось. Ей показалось, что она была здесь каким-то совершенно никому не нужным предметом. Она тайком бросала мимолетные взгляды на окружающих, на их непроницаемые лица и была уже почти уверена, что господин Ч. по какому-то злому умыслу притащил ее в это дьявольское заведение. К чувству недоумения присоединилась мрачная картина действительности. Сердце ее учащенно забилось. Еще никогда в жизни она не испытывала такого напряженного ожидания и тревоги.

Вдруг в чопорном ресторанном зале действительно произошло нечто поразительное в череде таинственных превращений. В зале словно поднялся ветер. Бурей, сбрасывающей маски равнодушия с полумертвой аудитории, стала русская красотка Маша Молчанова. Она ворвалась в зал как вдохновение мастера, как волна в тихую заводь, как крик фанатика, требующего справедливости в нашем безутешном, оскорбленном мире. Словно по мановению волшебной палочки, все засветилось какой-то необычайной, ранее скрытой красотой. Сам тяжелый бордовый бархат, казалось, помолодел, заиграл воскресшими бликами, а вместе с ним ожили скульптуры, расставленные, словно посланники искусства, в нишах питейного заведения. Но главное колдовство произошло с каменными безмолвными лицами сильнейших мира сего. Они вдруг преобразились: запрыгали, заворчали, зачмокали, завизжали, засветившись демонической радостью перед красотой псковитянки. Она шла, как богиня, она неслась, постукивая каблучками, как гимн, как само совершенство, пришелица из сказочного мира. Пурпурная атласная юбка, легкая декольтированная, цвета сапфира, кофточка окутывали ее полуголое юное шелковое тело, как строфы Пушкина — болдинскую осень, как феерические огни елок — Рождественскую ночь, как голос Соткилавы — золоченые ложи Большого. Нет! Если в мире и было чародейство, то оно свершалось именно здесь, в Москве, на Манежной площади, в ресторане «Максим». Обольстительная красота завораживала, мистифицировала публику! Мужчины теряли рассудок, и их душами начинал дирижировать сам бес!

Некоторые стали аплодировать, другие бросились заказывать букеты роз, третьи предались сладчайшим мечтаниям, четвертые писали записки ресторанным менеджерам с вопросом: кто она и откуда, эта царица ночных бурь?

Вокруг воцарилась магическая рапсодия чувств. Ее высота была такой недосягаемой, что, казалось, вот-вот весь этот мир ресторана со своими страстями разлетится на пылинки Вселенной, или небесный свод сам обрушится на головы потрясенных завсегдатаев этого микрокосмоса. Юная красотка всеми фибрами души чувствовала великое напряжение эмоций и пылала от счастья. Она уже отлично понимала, что виновницей бури мужских страстей была ее необыкновенная красота. Пока публика изводилась, русская красавица шуршала атласной юбкой между столиками «Максима». Но ее душа была освещена огнями ресторана больше, чем изнутри — собственной светлостью.

Иван Черногоров встал из-за стола, чтобы поприветствовать Молчанову. Он, по обыкновению, коснулся щекой ее щеки, взял ее за талию, подвел к столу. Придвинул стул. «Как провели время?» — господин Ч. старался выглядеть заинтересованным и приветливым. «Листала журналы мод. Смотрела телевизионные программы. Что еще можно придумать одной?» — «Я был весь в бегах. Посетил ваших в госпитале. Сделал много других полезных дел. Катерина Васильевна начала мне помогать». — «Чем вам можно помочь?» — как-то задиристо спросила Маша. «О, тут есть большое поле деятельности». — «А я вам могу помочь?» — «Освоитесь в Москве — придет и ваш черед! Ну, какую головную боль получит от нас повар на ужин?» — «А вы что будете есть?» — спросила Хилкова. «Уже поздно, я, пожалуй, возьму два ломтика рокфора, это очень деликатная закуска к вину. А вы, Машенька?» — «Я бы чего-нибудь поела. Иван Григорьевич, пожалуйста, предложите!» — «Я выпью только вина», — поторопилась сказать Хилкова. «Советую вам взять осетровую икру с блинами по-купечески и строганину из ягненка оленя с жареными белыми грибами», — обратился Черногоров к Молчановой. «Я не буду сопротивляться вашему выбору. Минеральную воду, пожалуйста, без газа».

Перед стулом Молчановой поставили несколько консолей. Пять или шесть огромных букетов самых разных цветов было послано ей от посетителей ресторана.

Машенька уже определенно знала себе цену и была чрезвычайно довольна своим потрясающим успехом у публики. Голова ее кружилась от счастья, она совершенно забыла о еде и то и дело сверкала голубыми бриллиантами глаз в ответ на восторженные взгляды мужчин. Ее улыбки ждали сейчас все: и старичок в смокинге, с непонятным огромным, в драгоценных камнях, орденом на груди и осанкой вышколенного аристократа; и знакомый господину Ч. столичный финансист с авантюрными замашками, успевший на несколько миллионов объегорить и государство, и вкладчиков своего банка, ко всему еще бестолковый позер; и в прошлом невысокого чина работник органов господин Лебединский. И известный московский тусовщик, очаровательный рассказчик малых форм и хлебосол, очень богатый армянин, человек, преданный слову и делу, красавец восточного типа Аршавет Абрамов. И знаменитые братья Кришановы, столбовые евреи, чей изысканный, тонкий вкус к большим деньгам, великим проектам и женской красоте был известен столичному коммерческому миру. И друг всех великих мира российского, добряк, но аферюга самой первой гильдии, симпатизант Черногорова, славный Евгений Порфирьев, который, несмотря на свой шестидесятилетний возраст, все ночи напролет проводил в кутежах и пиршествах среди банкиров, высших политиков и танцовщиц самых разных фольклорных групп. И богатей Владимир Дерибасов, энергетический вампир, неустанно преумножающий свой капитал в бизнесе с металлом, — приятный малый, увлекающийся теннисом и женщинами только высочайшего класса; поговаривали, что он на спор соблазнил в Каннах Мисс Мира последних годов ушедшего века...

Какое-то странное двойственное, таинственное обаяние исходило от Машеньки Молчановой. Кто очаровывался ею — а таких было большинство, — был готов тут же добровольно записать себя в грешники; невзлюбивший ее — спешил объявить себя праведником. Но никто не смог бы признаться в равнодушии. Машенька зажигала огнем страстной любви или ненависти всех. Ненависть же возникает у мужчин, неспособных осуществлять дерзкие планы любовников.

Она была дьявольским созданием!

Господин Черногоров и Катерина Васильевна чувствовали повисшую в воздухе напряженность. Но если Иван Григорьевич попивал «Помероль» и думал о своем проекте передачи русской красотки давнишнему приятелю, известному эксперту по ценным бумагам Юрию Петелину, который вот-вот, как бы невзначай, должен был появиться в ресторане, то княжна Хилкова больше думала о своем невыразительном платье и невыгодном для себя положении. Впрочем, иногда мелькали у нее и другие мысли, связанные с неожиданным предложением господина Ч. Впрочем, Катерина Васильевна, молодая красивая женщина, ведущая самостоятельный образ жизни, эту тему желала обсудить наедине с собой.

Итак, Петелин объявился в ресторане после тайного приглашения господина Ч. Это был человек чисто русской наружности, спортивного телосложения, выше среднего роста, чуть моложе Черногорова. Светлые волосы по-женски, прядью, свисали на его высокий покатый лоб. Ему легко можно было дать 30, хотя на самом деле уже было 36 лет. Он был безукоризненно одет. Тонкие длинные пальцы, перстень с массивным изумрудом выдавали в нем чувствительную натуру, привыкшую к богатству. Господин Петелин сразу приметил своего приятеля и двух молодых дам, сидящих рядом с ним. Черногоров успел сказать ему пару слов о Молчановой, поэтому тот сразу узнал ее. Впрочем, Петелин уже несколько минут стоял у колонны, испытывая потрясение и восторг. Столичный тусовщик высшего класса, господин П. робел. Он надеялся, что многое решит первая встреча. Ему так не хотелось проигрывать поединок с красоткой! Наконец его заметил господин Черногоров. Он встал из-за стола и махнул ему рукой. Это было приглашением к столу. Юрий Петелин не торопился его принять. Такова была тактика поведения! Он лишь поклонился и дал отмашку, что, дескать, занят своими делами. Тогда Иван Григорьевич подозвал официанта и дал ему поручение пригласить господина, стоящего у колонны, к своему столику. «Это мой приятель. Может, пригласим его вместе? Он, видимо, смущен!» Дамы дружно замахали ручками. Господин Петелин опять заставил себя выдержать паузу. Лишь спустя некоторое время он, горделивой походкой, направился к столику. Свою небрежную фразу он заготовил еще днем: «Вам так скучно, что вы потребовали самого Петелина! Куда исчезло ваше красноречие, господин Черногоров? Чем могу быть полезен?» — «Официант! — позвал прислугу Иван Григорьевич. — Поставьте, пожалуйста, господину Петелину стул за нашим столом и примите у него заказ». — «Ты бы поинтересовался моим временем. Я жутко занят! Прошу прощения, милые дамы, но господин Ч. — агрессор. Он по-драгунски вмешивается в жизнь друзей, пользуясь своим высоким авторитетом!»

Честолюбивый Юрий Петелин оказался весьма приятным собеседником. Он пустил в ход весь арсенал средств обольщения, которыми владели лучшие московские любовники, с успехом проводящие охоту на парижанок в Монте-Карло и Сан-Тропе. Это были великие мастера слова, но, разбрасывая крылатые фразы, они сорили и деньгами. Один из таких кавалеров прошлым летом забросал весь песчаный берег Ниццы, на котором отдыхала парижская красотка, чайными розами. Он сбрасывал цветы с вертолета, как Бог — манну небесную. И сердце парижанки было покорено фантазией московского светского тусовщика.

Столичный лев и новый русский, Юрий Петелин довольно быстро почувствовал наивность и провинциальность псковитянки и, честно соблюдая традиции истинных кавалеров, решил оберегать эту трогательную женскую слабость, как громоотвод оберегает от удара молнии, как спасательный круг — от взбудораженной водной стихии.

В этот вечер Петелин был на высочайшем подъеме чувств, страстно преследуя единственную цель — завладеть сердцем юной русской красавицы. И надо сказать, что она начинала ему подыгрывать. Ее голубые, с бриллиантовым блеском, глаза все чаще останавливались на нем. Ее восхищали гибкость речи и изысканные манеры Петелина. Пока больше ни о чем она не думала, не мечтала, но их поединок постепенно выходил на финишную прямую. Чтобы закрепить успех, господин Петелин стал безжалостно подсмеиваться над своим приятелем, называя его редчайшим чудаком, оторванным от мира сего. Постепенно его эгоизм стал принимать вздорный характер.

Ревность, доселе незнакомое чувство, вдруг прожгла сердце господина Черногорова. Как ни старался он заглушить воспоминания, в сознании все чаще возникали картины ночи, проведенной с Молчановой. «Какая сила толкает меня бросить Машеньку? Неужели счастье общения с желанным телом так категорично должно осуждаться Библией? Нужен ли Бог, лишающий человека его природной радости? В чем, собственно, смысл жизни человеческой: купаться в земном, чувственном счастье — или быть аскетическим проповедником? Как в движении к индустриальному, виртуальному совершенству бытия не породниться с дьяволом? Что важнее: вырваться из порочной асимптоты — или всей душой отдаться ей? Две тысячи лет мы соотносили свои поступки со Святым писанием; не пришло ли теперь время адаптировать Библию к человеку в фантастически изменяющемся мире, переписать слово Божье? Но, может быть, все это мистификация дьявола? Он сам желает прибрать к рукам Машеньку и с чудовищной силой толкает меня к ее отторжению. Греховным можно назвать только тот поступок, которого человек боится своей исторической памятью. А владение телом псковитянки совершенно не вызвало у меня горечи предательства морали. Любовь, влечение, желание, страсть должны разрушать догмы и запреты, выдуманные в темных кельях мудрецами-церковниками. Когда две тысячи лет назад они начинали писать Библию, ни сам Создатель, ни его апостолы и слуги не могли представить, как душа изменит разум и плоть людскую, как в человеке разовьется чувство собственника и потребителя, как разрастется в нем страсть самому стать Богом. Прочь сомнения! Нет! Пожалуй, я никому не отдам Машеньку! Ни в угоду божественной проповеди, ни в угоду интригам лукавого беса или порывам великодушия. Вы зверь, Черногоров! — с дьявольской усмешкой бросил он сам себе. — Нет! Хуже! Я — человек! Необходимо разбудить в себе свободу, дать полную волю своей страсти. Навсегда покончить с радостным бездействием, роковым безразличием». Он как бы помиловал себя за попытку предать Молчанову и твердо решил гнать от себя мысли и поступки, навеянные чужим, пусть даже библейским, умом. «Пусть я буду самым гнусным счастливчиком, но Машенька останется со мной».

Господин Ч. подозвал официанта и потребовал счет. Черногорову пришлось прибегнуть к византийской риторике, чтобы, не вызывая обид и слез, расставить все, как прежде, по своим местам. «Дорогой друг Петелин! — сказал он. — Позволь мне удалиться, а ты продолжай поиск радости жизни. Я советую тебе познавать мир не только чувством, но и сердцем. Красота как высшая форма ликвида при неумелом или неправильном использовании имеет способность к изменению котировок и создает опасность банкротства. Замысел не соответствовал курсу валют на вечерней сессии ММВБ. Ставки по депозитам подскочили, как при президенте Рейгане. До завтра, старина. Надеюсь, что ты понял: колебания фондового рынка характерны и для падения, и для взлета курса душевной нирваны».

Иван Григорьевич встал и вышел из-за стола.

«Может быть, мы еще посидим? — спросила его через плечо Машенька Молчанова: инстинкт склонял псковитянку к личной свободе больше, чем к любой форме привязанности. — Мне здесь нравится».

— «Я буду очень рад, если остаток вечера вы проведете со мной». Он доверительно положил ей руки на плечи, словно подталкивая ее к своему решению. Княжна Хилкова тоже встала. Она как-то скороговоркой попрощалась с Петелиным и быстро направилась к выходу.

Когда господин Черногоров и Машенька выходили из «Максима», зал опять встал и зааплодировал. «Чему они хлопают?» — с притворным простодушием спросила Молчанова. «Радуются победе Путина!» — слукавил он. «Странно! — мечтательно произнесла Машенька. — Мне подумалось, что они очарованы моей внешностью». — «Сегодня первая ночь нового президента», — уклонился Иван Григорьевич. Интуиция подсказывала ей: господин Ч. испугался ее красоты. Сердце молодой русской красотки ликовало. Это была ее первая заслуженная победа! Мощный, симпатичный, с легкой проседью мужчина, перед которым еще несколько часов назад она благоговела, струсил, побоялся открыто сказать ей, почему так бурно ликуют мужчины ресторана «Максим». Красота победила все его добродетели, которыми он так кичился, раздавила философские упования, которые были для него и окружающих атрибутом чести. Она стерла грань между словами и делами, декларируемым и совершаемым. Всего-то одно слово! Один незначительный фрагмент во времени и по существу. И такой вероломный проигрыш! Двойная роковая ошибка! Vae Victis — горе побежденным! Предначертано ли это было свыше?

Он проводил Машу Молчанову в апартаменты гостиницы «Националь», благо отель и ресторан находились в одном здании. «Я быстро вернусь», — сказал Черногоров. «Вы только обещаете, а сами торопитесь к Катерине Васильевне!» — эти ее слова прозвучали как раздраженный упрек. Он хотел было сказать: «Поднимаю пятую желтую карточку», — но осекся, передумал и губы в губы сказал: «Машенька, я буду через пятнадцать-двадцать минут. Включайте музыку, выбирайте в мини-баре напитки, плещитесь в джакузи, звоните в Шумилкино. Фантазируйте, развлекайтесь». — «Пожалуйста, недолго, иначе я усну», — с каким-то капризным смехом сказала она.

Катерина Хилкова стояла на Тверской рядом с рестораном «Максим». Была поздняя холодная мартовская ночь. На высоком небе тускло мерцали мелкие звезды. Светофор ритмично, словно сердечный пульс, выбрасывал на асфальт потоки яркого желтого света. Улица была пуста. Лишь в шикарных автомобилях, ожидавших своих патронов, под музыку грелись водители.

Иван Черногоров медленно шел навстречу, думая, с чего начать разговор. Он чувствовал на себе ее упрямый сердитый взгляд, но не решался с ним встретиться. Мужчина никак не мог найти объяснение сути происшедшего. Катастрофа сценарного плана вечера, который он сам сочинил, а потом так круто вдруг перестроил, не на шутку напугала его. Словно по чьей-то навязчивой подсказке, он всей душой хотел прервать связь с Молчановой, но просто выбросить ее на улицу стало для него невозможным. Он знал, что ее тут же подберут другие — такие красотки долго одинокими не остаются. С другой стороны, он не хотел, чтобы она попала в дурные руки. Красота — это товар, очень дорогой товар! В Москве, других столицах и городах мира в этом бизнесе орудуют тысячи самых различных кланов, которых очень интересует такой замечательный товар — красота и неопытность! По-своему он жалел ее, так как определенно представлял ее судьбу. Она будет съедена, разорвана на кусочки, отравлена до самых глубинных клеток души. Кто первый сказал, что красота спасет мир? Чушь! Чистота помыслов спасет его! Чистота души будет спасать его вечно! Не может существовать в дьявольской красоте божественная душа. А красота без души — облачение дьявола! Пещера бесов! В этом Черногоров был уверен...

Ему надо было что-то сказать княжне Хилковой. Он знал, что она ждет его объяснений. Сейчас в нем боролись два чувства. Можно было наскоро слукавить и завершить эту болезненную для его души тему — или искренне и достаточно долго объяснять суть случившегося. Но у господина Ч. совершенно не было на это сил, да и не было еще никакого окончательного решения. Что дальше случится с Молчановой? В каком качестве она будет с ним? Если он не найдет в ней душу, чтобы она работала на его сверхидею, то через некоторое время с псовитянкой будет все кончено. Но кто сегодня может отмерить это «некоторое время»? Какой судья может указать точный срок? «Нет, — думал Иван Григорьевич, — тему Молчановой лучше не поднимать. Ее необходимо спрятать как для себя, так и для окружающих».

«Истомленная неизвестностью, я уж было подумала, что вы меня бросили. Сбежали с блондинкой. Или все еще впереди? Этот ваш клоун-приятель... Я таких типов не признаю. Вы оставили меня в тревожном ожидании один на один с грузом проблем: ловить человеческие души и готовить второе крещение Руси?! Я стою на Тверской посреди ночи, совершенно не зная, где вы, как вас искать, с сомнениями — не шутка ли все то, что было сказано вами? Ванечка! Что же делать дальше? Как начать завтрашний день? Кто я: человек твоей паствы или женщина, живущая с тобой? Пленница твоей мечты или любящая тебя столбовая дворянка? Наложница или сподвижница?» — «Дорогая Катерина Васильевна! Милый вы человек! Я вам давеча поведал: не для любви, не для ненависти, не для корысти я человек. Вы дали мне свою душу в управление, не так

ли?» — «Да! — признала Хилкова. — А что
дальше?» — «Это означает, что между нами
могут быть лишь партнерские отношения.
Кроме вашей души, которая должна работать на наше общее дело, мне совершенно
ничего не нужно. Перед нами стоит общая
цель, пусть для циников она звучит как су-
масшедшая, идиотская, популистская —
нравственное возрождение россиян. Этой
цели я посвящаю себя полностью! Я был бы
чрезвычайно рад, если бы такая душа, как
ваша, работала на эту же идею! Только такие люди, как мы с вами, могут помочь соотечественникам вновь обрести лучшие черты нации. Милая княжна! Вам предстоит тя-
желейший труд. Полнейшая самоотдача и
автономность. Вы ищете свою нишу общения, круг своего влияния, свою группу людей для обработки. Помните, Катерина Васильевна: не каждая душа человеческая готова сегодня к такому делу. Тут необходимо
научиться отделять семена от плевел, находить, выискивать светлые, большие души. Я

очень надеюсь, что у нас с вами все получится. Отечество в опасности, срочно требуются спасательные меры! Но не станете ли вы пленницей моей навязчивой, может быть, сумасбродной идеи? Не анахронизмом ли веет на вас от сакраментального: "Ora et Labora" — молись и трудись? Редкие современные люди готовы к самопожертвованию даже ради самой блестящей общественной цели. Человек больше думает о собственном благополучии, совершенно не понимая, что ресурсы душевной пустыни иссякают куда быстрее, чем душевный оазис праведников. Сейчас мы расстанемся. Оставайтесь наедине с собой и принимайте решение сами. Советуйтесь не только со своей душой, но и с сердцем. Задавайте этот вопрос своей плоти. Были случаи, когда мои сподвижники не выдерживали. Да что сподвижники — я сам! Уж очень сложна и запутанна эта материя — Бог и бес. Вечная тема. Нашим предкам было легче искать истину. В последнее время мир в корне изменился.

Сейчас соблазны материального благополучия по широте выбора превосходят радости душевной благодати. Мир не умещается в десяти заповедях. Извращенный человеческий гений предлагает тысячи самых разных искушений, перед которыми сам Бог и дьявол могут не устоять. Думайте! Принимайте решения! Я буду счастлив, если вы включитесь в работу! До завтра, милая княжна. Автомобиль отвезет вас на мою квартиру». Черногоров обнял ее по-своему, прижавшись щекой к ее холодной щеке, взял под руку и проводил до автомобиля «Бентли».

Катерина Васильевна никак не могла заснуть. Вновь и вновь перед ней вставали стремительные события последних дней. Она смотрела на Черногорова с восхищением. Она действительно всей душой хотела полагаться на него. Его можно было бы заподозрить в сектантстве, даже в сумасшествии, но нужно было и отдать должное его поразительной цельности и душевной исключительности. Он произвел на нее сильное впечатление. В нем было очень много чисто человеческого обаяния, в нем была уйма той дружеской комфортности, которая делает людей, находящихся вокруг, счастливыми. Но восхищение Черногоровым стремительно перешло у нее в любовное влечение. Он стал для нее каким-то магнитом, притягивающим все атомы, частицы ее души и тела. Когда его не было, она в угрюмой тоске ожидала его, но как только он появлялся, ее состояние в корне менялось. Она впервые в жизни стала по-настоящему ощущать душевную радость, это счастливое состояние, сотканное из тысячи самых, казалось бы, мелких деталей: взгляда, улыбки, голоса, запаха, цвета, едва уловимых мыслей, движений души. Фантастическое благородство, сила человеческого духа теперь у нее были связаны только с одной, совершенно уникальной личностью — Иваном Григорьевичем Черногоровым.

Влюбленность в него была настолько оше-
ломляющей и вероломной, что госпожа
Хилкова нет-нет да и подумывала: а не бе-
совскими ли чарами обладает сам господин Ч.?! Величие, в которое он облекал
свои конфессиональные мысли, волновало, воспаляло ее душу и сердце. Что-то похожее, но не так четко выраженное, нередко возникало прежде в сознании у нее самой. Но после черногоровских откровений
на темы бед и болезни русской души она
глубоко поверила его диагнозу, образу доказательств и предлагаемому способу ле-
чения нации. Народ, утративший христианство, более того — на протяжении почти
всего минувшего века активно боровший-
ся с ним и, к полному несчастью, потеряв-
ший способность верить и думать о Боге,
должен был попасть в такую страшную
беду, в которой оказалась Россия на пороге XXI века. В этом она была полностью
согласна с Черногоровым. Несмотря на то
что нынешние церкви переполнены поли-

тиками и людьми из элитных тусовок столицы, чрезвычайно редко встречаются официальные россияне, которые переступают порог православных соборов, испытывая подлинные религиозные чувства. «Бес глубоко укоренился в душах россиян» — с этой черногоровской мыслью Катерина Васильевна была совершенно согласна. Она готова была сейчас на любую жертву, чтобы помочь Черногорову излечить Отечество. Встреча с ним пробудила в ней жажду подвижничества. Под действием его слов, проникнутых воспаленной рассудительностью, от которых воспламенялась ее душа, княжна Хилкова, исполнившись православной добродетели, начала упорядочивать свои мысли и чувства, соотносить их с истинами христианской морали. Любовное влечение к Черногорову сейчас показалось ей, обдумывающей в его роскошных апартаментах с прекрасным видом на Москву-реку свою женскую судьбу, недостаточно веским основанием для грехопадения. Черногоров так сильно проникся идеей оздоровления русской души и изгнания из нее дьявола, что отвлечь его какой-то личной, даже полной семейного счастья историей казалось Хилковой предательством памяти предков. И эта идея, злая, несправедливая по отношению к ней самой, стала направлять и определять ее дальнейшие планы и поступки. «Зачем вообще отвлекать его своим присутствием, — вдруг подумала она, — нагромождением житейской проблематики, мрачных картин нашего быта, инвалидностью отца, безденежьем матери, собственной неустроенностью? Он станет отвлекаться моими личными проблемами в ущерб поставленной цели. Разумно ли это? У одержимого идеей человека конфликт между проявлением добра к отдельной личности и масштабным, философским, безымянным добром неминуем! Я сама спровоцирую этот конфликт, поставив Черногорова перед выбором: Катерина Хилкова против его собственной сверхидеи! Итог такого противоборства предопределен; горечь проигрыша изведет мое женское самолюбие. Для меня вообще еще совершенно неведомо, какое счастье более полное — служение любимому человеку или преданность своему народу! Однозначного ответа без взлета чувств и обиды разочарования не найдешь. Можно ли любить человека, но подавлять его идейную цель, отвлекать от пусть капризной, но всепоглощающей социальной страсти?» Интуиция уверовавшего в правоту избранного пути человека подсказывала ей оставить Черногорова. Можно только догадываться, с каким трудом она восприняла наяву эту страшную для себя мысль — добровольно отказаться от человека, которого за короткое время она так сильно полюбила. Но ее решение принимало все более реальные очертания. Оно было полностью принято ее женским сердцем вопреки его первоначальной романтической музыке. «Это лучше, чем постоянно дрожать за свое счастье. Вечно искать случай увидеться, собирать крохи информации о его местопребывании, любить — но ревновать, обожать — но не верить, следить — но не высовываться, уличать в измене — но сохранять тайну. Испытывать счастье одной ночи после годового одиночества, писать любовные фолианты на бумаге и в мыслях в пустой холодной кровати, но с жаром и пламенем в сердце. Нет! Еще раз нет! Никаких иллюзий! Я могу участвовать в его деле самостоятельно. На расстоянии! Если людей объединяет единая философия деятельности, сподвижничество, то при успешном развитии общего дела им легче соединиться. Теперь же роли распределены. Цель жизни найдена. Меня ждут огромные комиссионные — исправление судьбы России. Я остаюсь одна. Мое счастье — если наступят, наконец, изменения к лучшему! Если народ воспрянет чистотой духа и помысла! Поднимется из нечистот прошлого! Очистится от скверны двуличия века ушедшего! В таком великом деле иметь иные обязательства немыслимо; одной человеческой души и жизни будет явно недостаточно. Королевскую щедрость в деньгах Черногорова я дополню и украшу: я преподнесу и отдам людям одухотворенную душу Катерины Хилковой!»

Тут княжна Хилкова дала свободу своим мечтаниям: она видела себя сестрой милосердия в госпиталях чеченской войны, только никак не могла понять, почему такой старый христианский долг, как выхаживать раненых, совершенно исчез из кодекса чести русской женщины. Она видела себя реставратором икон и церковных фресок в разбитых православных храмах на просторах отчизны; стряпухой, варящей супы нищенствующим соотечественникам; воспитательницей детских домов; исповедующейся в пределе храма; носящей хлеб в каталажки. В этот момент она удивилась своему маленькому открытию: святая доброта не имеет и не может иметь границ. А общество совершенно забыло осужденных, каторжан. Если не ходить к ним, не посылать им сигнал человеческого, христианского прощения — разве можно ждать их исцеления? Она видела себя в беседах о христианской добродетели с проститутками и уголовниками столичных улиц, она желала читать Библию, книги по теологии, она хотела быть везде со страждущими — на погосте, на задворках жизни, в греховном покаянии. Она была благодарна Черногорову, что он открыл ей новую истину, почетную, дарующую ей возможность участвовать в дуэли между Святым духом и лукавостью!

Но последнее признание господина Ч. обеспокоило молодую женщину. «Действительно, — думала она, — хватит ли у меня сил отказаться от своего женского счастья в угоду воскрешению духа российского? Не предаст ли меня моя плоть? Найти душевное согласие легче, чем укротить буйство тела! Говорят, одиноким женщинам полезно ходить на танцы... Но, собственно, почему я должна быть обязательно одинока? Кто и что может запретить мне иметь партнера или поклонника? Тут главное — найти гармонию между собственным "я" и избранной целью жизни, построить мост между личным счастьем и увлеченностью идеей. Если это свершится, то сложится моя жизнь и реализуется великая цель».

Катерина Васильевна подошла к балкону. Скучные силуэты света спящей Москвы лежали перед ней, как сказочные создания. Ей совершенно не хотелось думать — голова была тяжелой, словно после бессонной ночи. На ломберном столике, стоящем перед английским книжным шкафом, она заметила початую изящную бутылку водки «Большой». Рядом с ней стояли три рюмки. Хилкова потерла виски, чему-то своему улыбнулась и наполнила две из них. «Первый тост — за нашу черногоровскую сверхидею! Чтобы мы изменили душу и облик России!» — она выпила лихо, почти по-мужски. Княжна прошлась по огромной, тускло освещенной гостиной, разглядывая едва различимые предметы антикварной мебели и аксессуары дизайна. «Второй тост — за мою собственную судьбу. Чтобы она сложилась, как складывается мозаика из сотни совершенно разных камушков и осколков цветного стекла, схожих с фрагментами и эпизодами жизни, в единый и цельный образ». Она с чувством бросила опорожненную рюмку на ковер и раздавила ее истоптанным каблучком сапожка. «Браво, Катька, вперед! Черногоров сам по себе, я — сама по себе!» — вырвалось у нее.

У княжны Хилковой, красивой, молодой, честной русской женщины, не хватило практического опыта и душевных сил написать прощальные строки Ивану Черногорову или оставить ему какой-то другой сигнал, последнюю памятку. Она, уверенная в своей добродетели и правильности принятого решения, просто-напросто оделась и вышла из квартиры.

Господин Черногоров медленно, тяжелой, усталой походкой шел к гостинице «Националь». Кремлевские рубиновые звезды напоминали ему собственные детские рисунки: он очень любил на листах тетрадной бумаги рисовать и раскрашивать башни и стены Кремля и подолгу не расставался с этими неуверенными изображениями. Сверкающие красные звезды иногда выглядывали прямо из карманов брюк его ученической формы. За такие рисунки его несколько раз не допускали на занятия. Как быстро пролетело время!

Дверь в гостиничный номер была приоткрыта. Он вошел в прихожую, снял пальто, заглянул в ванную, чтобы сделать для бодрости горячий компресс на лицо, и только тогда направился в гостиную. Было тихо. Вначале он подумал, что Машенька

Молчанова разыгрывает его, прячась где-то в шкафу или под кроватью. Но после детального осмотра помещения он убедился, что никаких следов пребывания псковитянки в апартаментах нет. Врожденная способность к беспристрастному анализу любой ситуации подсказала господину Ч. две основные версии. Первая — хорошая: Молчанова — искательница приключений. Вторая — плохая: она провокатор и желает вызвать в нем злую ревность. От такой неожиданности он даже расхохотался.

Немного подумав, как поступить дальше, он пустился на поиски. Шубка висела в гардеробе. «Она где-то в гостинице», — подумал он. Черногоров решил осмотреть все гостиничные бары. Он спустился на третий, потом на второй этаж, прошел через Зимний сад, Александровский и Невский залы, Горчаковский и Воронцовский кабинеты. Машеньки Молчановой нигде не было. «Может, она вернулась в "Максим", к Петелину?» — с откровенной горечью подумал он. Господин Ч. судорожно, в каком-то совершенно незнакомом для себя нервном состоянии чуть-чуть приоткрыл дверь ресторана, остро желая оставаться незамеченным. В «Максиме» ни ее, ни Петелина не было. Ему до боли в душе не хотелось использовать последний шанс, чтобы получить хоть какую-нибудь информацию о местонахождении Молчановой. «Я просто презираю себя, — в сердцах признался он самому себе, — никогда не думал, что опущусь до такой низости». Тем не менее, какая-то неведомая сила толкнула его на этот ненавистный поступок: он подошел к гостиничному швейцару, протянул ему пятьсот рублей и спросил: «Вы не видели мою подружку?» — «Хм, красивая моло-денькая блондинка?» — нарочито равно-душно переспросил швейцар. «Да! Да!» — «Она минут десять-пятнадцать назад спустилась в казино». — «Одна?» — «Хм, похоже, что одна», — зевнул работник гостиницы.

Иван Черногоров помчался в игровой салон.

Казино «VIP-National» в сутерене гостиницы было известным местом в столице. В нем собирался пестрый игровой люд Москвы. Здесь бывали заядлые игроки из самых разных социальных групп: шулера, бандиты, проститутки, банкиры, чиновники, музыканты, депутаты городской и Государственной Думы, мещане, иностранные менеджеры, туристы, просто неиграющие тусовщики, болельщики известных в азартном мире имен. Но самое любопытное состояло в том, что некоторые завсегдатаи могли бы без обиняков засвидетельствовать, что довольно часто происходило смешение в вышеперечисленных тусовках: шулера становились банкирами, бандиты — музыкантами, чиновники — проститутками, иностранные менеджеры — депутатами. Такова ирония судеб россиян на пороге XXI века.

Когда господин Черногоров влетел в казино, то сразу заметил, что здесь происходит что-то совершенно необыкновенное. Публика плотным кольцом обступила рулеточный стол, за которым царственно восседала раскрасневшаяся Машенька Молчанова. Стоял жуткий гвалт, напоминающий взрыв страстей на футбольной арене. Мужчины самых разных сословий и вида — спортивного телосложения в смокингах, обрюзгшие с вываливающимися животами, наголо остриженные, с татуировками на шее и пальцах, со знаками отличия в петлицах, с отекшими небритыми моложавыми лицами, красавчики с бронзовым загаром Лазурного берега, худущие юнцы со стеклянными одурманенными глазами — толпились вокруг Машеньки и делали ставки в ее пользу. Стол был буквально завален фишками. «Я ставлю за вас на "зеро"», — кричал толстячок с депутатским значком. «Запомни, ставлю за тебя тысячу долларов на "двадцать три"», — прорвался к Молчановой седой мужчина с профессорской бородкой. «Хочу, чтобы ты выиграла, красотка! Ставлю триста долларов на седьмой номер! Я — Леня Илловайский», — кричал ничем особенно не приметный мужчина в малиновом сако. «Пятьсот долларов за вас на "красное"», — визжал коротыш, похожий на артиста Савелия Крамарова. «Ставлю десять тысяч долларов на "нечетное" и двадцать тысяч на "девятку"». — «Играй со мной, кисочка! Я самый везучий из всех счастливчиков. Я — Михаил Мельян, армянин московского разлива, обещаю миллион долларов!» — «Давайте обанкротим казино!» — старался перекричать всех мужчина средних лет с бриллиантом в два карата на галстучной булавке. «Хозе Михайловича знает вся Россия. Я — владелец раритетного "Ягуара"; чтобы ты владела этим сокровищем, ставлю документы на него на число "семь"». — «Двести пятьдесят долларов на "первую параллель" в пользу голубоглазой бестии», — пытался обозначиться известный музыкант из группы «Любэ». «Две тысячи долларов на "одиннадцать" в пользу белокурой Мисс Мира от Омика Сухумского», — выкрикивал с легким грузинским акцентом симпатяга южного типа, одетый от лучших парижских торговых домов. «За блондинку ставлю на "девять" четыреста долларов». — «"Патэк Филипп" на "тринадцать" за пятнашку зеленых — в вашу пользу, мадам, от банкира Валерия Пугачева». — «Милашка! Я положил за тебя полторы тысячи на "пятерку"». — «Перстень с трехкаратным изумрудом за десять косых на "один" в пользу лучшей девушки». — «Мои семьсот на твое счастье! Запомни, цифра "семнадцать"». — «Золотые очки от Картье на "черное". Выигрывай собственность Мирона Питерского!».

Казалось, крикам не будет конца. Все походило на биржевую лихорадку периода подъема фондового рынка. Красота была самым ликвидным товаром, она спорила на равных с супервалютой, драгоценными камнями, благородным металлом в слитках, мировыми именами золотопромышленников. Какой-то совершенно невероятный азартный спор разгорелся между мужчинами за право сделать на игровой кон ставку в пользу русской красавицы. Игральный стол ломился от наличных денег, фишек, золота, кредитных карточек, ювелирных изделий, долговых расписок — только сам черт смог бы здесь найти истину, созвучную запальным итогам рулетки. «Ставки сделаны, господа!» — с гримасой бесноватого прогорланил головастый крупье. Он страстно запустил шар по кругу, как академик Королев — первый искусственный спутник Земли. Зал затих. Интригующее шуршание белого кругленького идола взвинтило публику, подняло ее душевный настрой. Адская энергия несущейся кругляшки никак не хотела сдаваться и держала весь зал в высоком напряжении чувств минуту, другую, третью. Наконец — прыг-скок, прыг-скок — завзучали завершающие аккорды рулеточной бесовской пляски. Это — высшие волшебные звуки всего играющего народа! Есть! Дьявол нашел карцер преисподней! Коротенькая жизнь магического шалуна на заколдованной ночной тарелке закончилась. Он замер на цифре «одиннадцать» красного цвета. Что тут началось! Свист, крики, стук каблуков, аплодисменты, визг — все смешалось в агонии восторга и бесовской радости. Господин Черногоров потерял из вида Машеньку Молчанову. Публика обступила псковитянку, как победительницу национального масштаба, как героиню ночи! Как лакомый торт, который каждый хотел откушать! Как счастливое божество, к которому необходимо прикоснуться! Она совершенно не понимала, что происходит вокруг. Такого количества восторженных, свободных, увлеченных людей Молчанова никогда не видела. Каждому из них она была нужна! Каждый тянул ее в свою сторону! Она была в каком-то энергетическом гипнозе чувств, близком к сладчайшей истерике. Ей одновременно хотелось плакать и смеяться, любить и ненавидеть, целовать и умерщвлять всех без разбора, бросить все, сбежать — и остаться здесь навечно!

Чиперу в смокинге, крепкому парню со сплющенными борцовскими ушами и усталыми светлыми, невыразительными глазами понадобились инспектор и корзина, чтобы подсчитать и убрать со стола все фишки, деньги, драгоценности и расписки. Пит-бос поднялся на подиум и торжественно объявил, что молодая дама выиграла по всем номинациям: цифру «одиннадцать», красный цвет, нечетное число, вторую параллель, первую половину, первую дюжину, все смежные номера и приз самой красивой женщины казино "VIP-National". Общая сумма выигрыша составила двести семьдесят три тысячи долларов наличными и пятьдесят одну тысячу ювелирными изделиями и золотом. Помимо этого, Молчанова получила право играть в казино на деньги фирмы с лимитом в одну тысячу долларов в сутки на предстоящие сто дней. Омик Сухумский, угадавший для Машеньки цифру «одиннадцать», голосом обезумевшего баловня судьбы кричал: «Подайте всем "Вдову Клико"! Официант! Эй, слуги! Плачу за всех! Подайте "Вдову Клико Гранд Мадам"!» Впрочем, этот заказ мало кто слышал. Напряжение публики достигло своей высшей точки. Не боясь ошибиться, можно почти наверняка утверждать: нечто похожее кричал сейчас тут каждый из обступивших Машеньку.

К Молчановой протиснулись пятеро здоровяков-охранников. Они стали оттеснять публику, чтобы вывести русскую красотку из плена восторженной толпы. Шаг за шагом секьюрити с неимоверным трудом преодолевали сопротивление, пока, наконец, не вырвали ее из объятий искусителей. Только тут господин Черногоров увидел лицо Машеньки Молчановой: оно светилось радостью, но одновременно было растерянным; оно было смущенным, но — требовательным. На нем восторг сменялся удрученностью, счастье — разочарованием. Маски менялись одна за другой, так что, как ни старался Иван Григорьевич понять душевное состояние псковитянки, из этого ничего не получалось. Вдруг их взгляды встретились, как на ночном пустынном беззвездном небе встречаются два безмолвных прожектора. Машенька ни единым движением или жестом не дала ему понять, что она рада этой встрече, что он нужен ей. Что она желает, чтобы он стоял рядом! От такого несправедливого вероломства господина Черногорова захлестнула нечеловеческая ярость. Он позабыл все христианские добродетели, его сердце было полно гневом. «Сам виноват, вот давеча хотел же оставить ее Петелину! Нет, вмешалась жадность! Попутал бес! Какую силу необходимо мне иметь, чтобы от него избавиться?»

Молчанову уводили в какой-то дальний служебный кабинет. Молодой мужчина из местных тусовщиков шел с ней рядом и шептал ей на ухо какие-то слова. Она в ответ сверкала голубыми, с бриллиантовым блеском, глазами и все дальше уходила от Ивана Черногорова. Публика расходилась, занимая удобные места у рулеточных и карточных столов. Оживились крупье и чиперы. В кассах отсчитывали фишки. Воцарилась типичная для игральных домов тишина.

Оцепенение господина Ч., в котором он пробыл некоторое время, было прервано голосом крупье: «Ставки сделаны, господа!» По рулетке опять помчался шарик-шалун!

Утро началось с того, что господин Черногоров после тяжелого, мрачного сна проснулся в своем загородном доме в дурном расположении духа. Всю ночь ему снились кошмары из жизни животного мира. У него редко бывало скверное предчувствие, но в первые минуты тяжелого пробуждения какая-то внутренняя несогласованность, расстроенность идейной пирамиды преследовала его неотступно. Он никак не мог понять, как в этом бушующем страстями и разумом мире искать четкий водораздел между добром и злом. Черногоров не находил ответа и на не менее мучительный вопрос: что в нем самом преобладает — истинное или лукавое? Он сам — существо Божье или дьявольское? Какая сила ведет его в постоянном стремлении обращать души людские в инструменты навязчивой идеи? Необходимо ли согласовывать страсть покорения души человеческой с церковью?

Вчерашняя неприятность в казино больше не занимала его. Он совершенно не хотел возвращаться к этой истории. Но было очевидно, что Машенька Молчанова, и никто другой, стала индикатором хаоса в его душе, в его четкой схеме жизненных приоритетов. Именно она, сама того не ведая, внесла в его быт бунтарский протест. Она встала на его пути к победе над бесом. «Да нужно ли ценой такого воздержания в течение одной короткой человеческой жизни платить за победу в этой вечной войне? В состоянии ли человек помогать Богу? Почему во имя победы над дьяволом он должен отказываться от влечения к молодой красивой женщине? Человек, видимо, самое несчастное существо во Вселенной, — подумал он, — эти вечные искушения преследуют его повсеместно!»

Он не торопился выезжать в город. Для большинства россиян понедельник 27 марта выдался днем не очень тяжелым — более пятидесяти процентов населения испытали облегчение: кандидат, за которого они давеча проголосовали, был избран президентом. Иван Черногоров слушал последние теленовости, но думал совсем о другом. Вечность, которой он располагал для главнейшего ответа на свой человеческий вопрос, была коротка. Успеет ли он поймать мгновение открытия истины? Панический ужас, внушаемый ему беспристрастным временем, заполнял его угрюмый рассудок. Ему никак не хотелось попирать вечные законы, но лукавый неотступно провоцировал его. Ему захотелось теперь затянуться разок-другой чуйским чудом, чтобы смягчить безграничную власть времени, силу дьявольского давления. Последние наблюдения над душами современных столичных горожан вызывали у него уныние. Если лицо — это зеркало души, то как по-дьявольски выглядели многие из жителей мегаполиса! Одни пороки на искаженных лицах: стяжатель, сутенер, пройдоха, развратник, алчный игрок, мздоимец; в глазах — греховный отпечаток мыслей и чувств. Всем и сразу подавай весь арсенал богоотступничества. Не подашь — съедят заживо! «Поэтому, — думал Черногоров, — найти на внутреннем поле Москвы живую, хотя бы тлеющую душу становится все труднее. Она еще нет-нет да и сыщется у совсем молодых. Но почти везде вокруг — одни живые мертвецы. Как церковь без аналоя, как молитва без ектении, как проповедь без Святого писания — так человек без души».

Он не вставал достаточно долго. Мартовское яркое солнце проникало в спальню через кисейные портьеры. На смену мрачной обреченности в душу Ивана Черногорова стала медленно проникать надежда. Он, деловой человек, как никто другой знающий, что хлеб добывается только трудом и знаниями, уже начал чувствовать прилив жизненных сил. Тут с чувством удовлетворения и победы он вспомнил княжну Хилкову. Уверенность, что ее душа исцелена, вызвала улыбку на его лице. Но смятенные мысли тлеющей внутренней борьбы между сентиментальными желаниями мужчины Ивана Григорьевича и философской сверхзадачей господина Черногорова опять хлынули наружу. Шкала мучительных страданий, характерных для одаренных, возвышенных натур, поползла вверх. А маятник собственного сакраментального предназначения усилил свое движение.

Душа возгорелась. Черногоров опять почувствовал особенную, предначертанную свыше необходимость своей жизненной миссии ловца душ человеческих для обогащения их божественной силой. Именно с этими чувствами он заторопился в город.

Александр Потемкин
«Бес»

Редактор и корректор — Наталья Егорова
Художественное оформление — Игорь Резников

Издательский Дом «ПоРог»

Главный редактор — Людмила Семина
Генеральный директор — Татьяна Рогозина

Подписано в печать 10.09.03
Формат 70x90/32. Бумага офсетная
Печать офсетная. Печ. л. 16,0.
Тираж 10 000 экз. Заказ № 0310560.

Отпечатано в полном соответствии
с качеством предоставленного оригинал-макета
в ОАО «Ярославский полиграфкомбинат»
150049, Ярославль, ул. Свободы, 97.